D^r méd. Lawrence Q. Crawley
D^r méd. James L. Malfetti
D^r phil. Ernest I. Stewart
D^r phil. Nini Vas Dias

LA VIE SEXUELLE

D^r méd. Lawrence Q. Crawley
D^r méd. James L. Malfetti
D^r phil. Ernest I. Stewart
D^r phil. Nini Vas Dias

LA VIE SEXUELLE

Coproduction Française avec l'autorisation des
Editions Ariston par la SIP - Monaco

TABLE DES MATIÈRES

PRÉFACE

Les problèmes de la vie sexuelle et de la reproduction occupent une grande place dans l'esprit des jeunes. Notre livre n'entend pas seulement satisfaire cette curiosité, mais son but est aussi de parfaire les connaissances médicales du lecteur et d'augmenter son savoir; il pourra ainsi envisager sainement le problème sous tous ses aspects.

Le choix des sujets traités n'a rien de théorique: il a été fait pour répondre aux questions que nous posent étudiants et correspondants de tous les milieux. Cet exposé très complet fait mieux comprendre les problèmes qui se posent et répond à toutes les questions.

Le premier chapitre du livre est consacré à l'anatomie et à la physiologie des organes sexuels et à leur fonction dans la reproduction. Nous estimons en effet qu'un exposé des faits s'impose au début d'un tel ouvrage, puisque les opinions et les décisions de chacun en dépendent. Généralement les connaissances que possède l'adolescent ou le jeune adulte quant aux « réalités de la vie » manquent de précision sur bien des points. L'éducation reçue en cette matière est généralement assez évasive. Le jeune adulte aimerait mieux connaître son anatomie et sa physiologie par rapport à son rôle de reproducteur, et celles de l'autre sexe. Il aimerait connaître aussi le côté physique du mariage — à la fois pour augmenter ses connaissances et pour appliquer éventuellement son savoir à sa propre vie.

Le chapitre 2 traite des questions primordiales de la fécondation, du développement de l'embryon et de la naissance. Lorsque l'adolescent a compris le miracle de la vie, il comprendra mieux les responsabilités auxquelles l'expose sa vie sexuelle, et il aura davantage de respect pour l'autre sexe. Il sera aussi prêt à discuter de la conduite à tenir dans la vie sexuelle avant le mariage et du rôle de la sexualité et de l'amour dans les fiançailles et le mariage, dont traitent les chapitres suivants. Les jeunes célibataires ont indéniablement des besoins sexuels, qui posent un problème à la société, même si jusqu'ici on a préféré passer la chose sous silence, puisqu'on sait qu'aucune solution acceptable et définitive ne peut être proposée. Le chapitre 3 traite de ces questions et expose le processus du développement psychosexuel; il indique les principes dominants qui permettent au couple de mener une vie heureuse et bien équilibrée. La société estime que le mariage est, sexuellement, le seul accomplissement désirable. Malheureusement, dans notre civilisation, il est rare que la maturité sexuelle coïncide avec le moment où les jeunes se marient. L'idéal serait évidemment d'observer la continence jusqu'au mariage, mais ce serait trop demander à la majorité des gens. Les jeunes cherchent donc un dérivatif sexuel, dont la masturbation est l'expression la plus courante. Cette expérience, comme d'autres découvertes du domaine sexuel, font naître de l'anxiété et une certaine tension en même temps qu'un sentiment de culpabilité. Actuellement les jeunes peuvent beaucoup plus facilement entretenir des relations sexuelles que ce n'était le cas autrefois, où on craignait la mise à l'index de la société, les maladies honteuses ou la naissance d'un bâtard. L'éducation moderne, qui prône l'indépendance et la liberté, ne connaît plus l'existence du « chaperon ». L'automobile, qui permet de franchir rapidement de grandes distances, diminue l'autorité de la famille et son droit de contrôle. De plus la voiture permet de s'isoler en pleine intimité.

Plus la famille et les institutions perdent de leur prestige et plus les jeunes doivent être pleinement responsables de leur comportement sexuel. Mais, dans cette recherche des vraies valeurs, ils doivent être aidés et guidés.

Le véritable accomplissement de l'amour et de la vie sexuelle, c'est le mariage. En Europe et en Amérique, les jeunes se marient généralement vers vingt-cinq ans. Autrefois, le choix d'une épouse était beaucoup plus facile qu'aujourd'hui: le jeune homme se fiançait à une jeune fille du voisinage. Ils appartenaient presque toujours à la même église, au même milieu social, ils avaient reçu une éducation similaire, ils avaient les mêmes intérêts et leurs familles se connaissaient depuis longtemps. Aujourd'hui par contre, où toutes les couches de la population se déplacent beaucoup plus facilement, où les conditions socio-économiques ont changé, où le rythme de la vie est plus frénétique, il est rare que les fiancés se connaissent bien quand ils décident de se marier. Ils admettent d'ailleurs qu'ils devraient mieux connaître la personnalité de leur partenaire et savent que ce facteur a une grande importance pour leur bonheur en ménage. Là aussi un conseil peut être précieux et c'est pourquoi le chapitre 4 traite des principaux problèmes qui se posent avant de conclure une union. Les jeunes gens qui désirent se marier s'intéressent aussi beaucoup au rôle de la vie sexuelle dans le mariage. Ils entendent fréquemment parler d'incompatibilité sexuelle et voudraient savoir comment la détecter et l'éviter. Souvent on exagère l'importance de la sexualité en évaluant son compagnon, ce qui amène à une évaluation tout à fait fausse de sa personnalité.

Les jeunes gens s'imaginent fréquemment qu'il y a des jeunes filles « sérieuses » et d'autres qui sont « sexy » mais on les étonne beaucoup en leur disant qu'elles peuvent être l'un et l'autre. Pourtant ils admettent que leurs futures femmes devront être un harmonieux mélange de ces caractéristiques. Il faut aider les jeunes à donner à la sexualité la place qui lui revient, car elle n'est qu'un des composants de la personnalité, et non une entité à elle seule.

Dans le domaine de la vie sexuelle, bien des questions importantes se posent et on ne peut toujours y trouver une réponse définitive et péremptoire. Mais les auteurs de ce livre se sont efforcés d'en faire un exposé clair et objectif, nuancé pourtant de leur jugement personnel. Les auteurs laissent au lecteur le soin de choisir lui-même le comportement qu'il adoptera et espèrent qu'il le fera scrupuleusement, requérant au besoin l'avis de ceux dont il admire la compétence et la sagesse.

Chapitre 1

La reproduction
les rôles respectifs de l'homme et de la femme

C'est de l'union d'un spermatozoïde et d'un ovule que naît toute vie humaine.

Le spermatozoïde — ou cellule germinative masculine — se trouve dans le sperme du père tandis que l'ovule — ou cellule germinative féminine — mûrit dans l'organisme de la mère. Leur réunion se fait lors de l'acte sexuel, dans les organes génitaux de la femme. La reproduction de l'être humain n'a pas d'autre secret.

Mais la reproduction n'est pas l'unique fin des relations sexuelles, qui pour le couple signifient la réciprocité d'un don total.

Le « sexe » désigne non seulement les différenciations physiques propres à l'homme et à la femme, mais aussi les problèmes précis et souvent fort complexes qui régissent la genèse de la vie.

Nous commencerons notre exposé en indiquant les différences physiques entre l'homme et la femme. Le sexe est déterminé au moment de la fécondation, dès l'instant où le spermatozoïde s'unit à l'ovule.

Dans chaque spermatozoïde et dans chaque ovule se trouvent 23 corpuscules minuscules appelés chromosomes, qui déterminent le sexe du nouvel être et sont porteurs de toutes ses caractéristiques héréditaires. Chaque ovule possède un chromosome déterminant le sexe (X féminin), et une moitié des spermatozoïdes présente également un chromosome déterminant le sexe (Y masculin), tandis que l'autre moitié possède un chromosome X féminin semblable à celui de l'ovule.

Si l'ovule est fécondé par une cellule munie d'un chromosome (Y), l'enfant à naître sera un garçon (XY), sinon ce sera une fille (XX). C'est ce qui fait couramment dire que le père détermine le sexe de l'enfant.

Dès la conception, les organes sexuels se développent. Il faudra cependant un certain temps pour qu'ils deviennent visibles. Au premier stade du développement, les attributs sexuels sont identiques pour les deux sexes. Ce n'est qu'à partir de la neuvième ou de la dixième semaine après la fécondation qu'apparaissent les petites protubérances de surface qui permettent de distinguer un garçon d'une fille.

Toutefois dès la septième semaine après la conception il se forme des hormones mâles *et* femelles dans les glandes sexuelles rudimentaires de l'embryon. Cette production d'hormones va durer toute la vie, avec certaines alternances.

Habituellement l'homme produit plus d'hormones mâles que d'hormones femelles et la femme produit l'inverse.

Les savants n'ont pas encore pu déterminer scientifiquement si des hormones mâles et femelles se développent d'abord, puis fixent le sexe de l'enfant en développant de manière différente ses organes sexuels ou si, au contraire, les organes génitaux différenciés, mâles et femelles, apparaissent les premiers et produisent des hormones mâles et femelles.

Au cours du 7e mois après la conception, les glandes sexuelles de l'embryon mâle (testicules) descendent dans le scrotum qui doit les abriter, tandis que les glandes sexuelles de l'embryon femelle (ovaires) se fixent dans le bas-ventre (pelvis). L'ébauche des principaux détails de l'organisme mâle ou femelle est dès lors achevée et jusqu'à la naissance les organes sexuels ne présenteront que des transformations dans la taille ou le « modelage ».

A la naissance, les testicules du garçon contiennent déjà le tissu germinatif qui, dès sa 14e ou 15e année, commencera à produire des spermatozoïdes et en produira des billions au cours de sa vie.

La fillette naît avec plusieurs milliers d'ovules dans ses ovaires, dont 400 ou 500 sont susceptibles d'être fertilisés, au rythme d'un ovule tous les 28 jours à peu près, dès sa 14e année jusqu'à sa 45e année environ.

Cependant jusqu'à ce que l'homme et la femme soient biologiquement capables de procréer (dès la puberté), bien des influences vont les modifier, qu'elles émanent des chromosomes porteurs de caractères héréditaires ou soient déterminées par le milieu familial ou social et l'attitude de ce milieu vis-à-vis des problèmes sexuels et des rôles respectifs de l'homme et de la femme.

En plus des différences qui existent entre leurs systèmes sexuels et génitaux, le garçon et la fille se distinguent biologiquement sous différents aspects. L'embryon mâle se développe plus lentement; ce retard sur l'embryon femelle continue à se manifester après la naissance et dure jusqu'à l'adolescence. Sexuellement et physiquement la fillette est en avance sur le garçon. Ceci explique que les filles s'intéressent aux garçons avant qu'ils ne leur prêtent attention.

Il y a également davantage de fausses-couches d'embryons mâles, car ceux-ci sont moins résistants et succombent plus facilement aux infections. Durant toute leur vie, les hommes sont moins résistants que les femmes et vivent presque toujours moins longtemps qu'elles. Les hommes sont plus souvent daltoniens (confusion des couleurs) et atteints de calvitie. Les statistiques admettent pour les femmes une survie de 7 ans. La musculature et le squelette sont également différents chez l'un et chez l'autre. Les filles courent autrement que les garçons et ne lancent pas de la même façon, ce qui explique qu'elles préfèrent, dans différents sports, tenir un rôle de spectatrices.

Le sexe conditionne le rôle social

Dès qu'un garçon est sorti de la prime enfance, on le prépare à son rôle d'homme. On lui offre des ballons de football, des outils, des armes, tandis que la fillette reçoit des poupées, des poussettes, etc.

Dans ses jeux, le garçon cherche à imiter son père, à s'intéresser aux mêmes problèmes: son père, c'est le chef de famille, celui qui gagne la vie des siens; jamais il ne met la main aux besognes ménagères, on ne le voit jamais pleurer ni réagir comme « une poule mouillée ».

On laisse se débrouiller seul un garçon qui va à l'école; on lui fait faire du sport pour aguerrir son caractère, il prend part à des jeux d'équipe. En général son corps ne le tracasse pas et il n'en fait pas mystère: il se déshabille sans gêne devant ses camarades et se promène volontiers tout nu. Les garçons n'ont pas l'idée de se cacher pour uriner et font souvent des concours à qui arrosera le plus loin! Sous différents aspects, le garçon est moins pudique que sa soeur et ses amies. La nature même des organes sexuels mâles donne au garçon un sentiment de propriété et de supériorité, tandis que les filles ont souvent le sentiment de « manquer de quelque chose » et éprouvent une certaine frustration à cet égard.

Très tôt on met en garde les fillettes contre les dangers que peut présenter la gent masculine et les conséquences qu'entraîne la fréquentation des garçons. On les avertit qu'il ne faut jamais suivre un étranger, ce qu'on explique plus mollement aux garçons. On craint que la fille ne soit séduite ou violée et perde de ce fait sa virginité.

On encourage les fillettes à jouer à la poupée et à rendre de petits services ménagers. Tel est l'idéal qu'on leur propose: Être toujours polies et bien élevées; faire le « garçon manqué » est une attitude inopportune.

Plus tard, les parents de la jeune fille lui expliquent les mystères de la vie, ou chargent de le faire une personne plus qualifiée. Mais souvent la jeune fille a déjà, sous une forme plus ou moins inexacte ou déformée, découvert elle-même la clé du mystère. Ses amies plus âgées se sont chargées de l'instruire, ou encore elle en a discuté avec ses camarades de classe. Ses parents feront donc bien de s'assurer que cette initiation sexuelle lui a donné les éclaircissements nécessaires, et ils lui diront surtout la conduite à tenir quand un garçon lui fera des avances. Les parents ont aussi le devoir d'expliquer ouvertement à leur fille les conséquences que peut avoir la naissance d'un enfant illégitime.

Il arrive que certains parents, assez ignorants des lois de la génétique, inculquent à leur fille une véritable terreur de l'enfant hors mariage. Cette crainte des parents peut gravement perturber le comportement de leur fille, même après son mariage, et peut être à l'origine d'un conflit intime, car il est bien naturel que la jeune fille désire plaire et veuille être séduisante. Le comportement social actuel, qui tend à mettre en valeur tout ce qui est sexuel et physique, pourra renforcer cet antagonisme.

Le garçon doit discuter des problèmes sexuels avec quelqu'un pour qui il a de l'estime. On lui dira surtout qu'il doit se garder et être très prudent quant aux maladies vénériennes, et qu'il pourrait avoir un enfant de la jeune fille qu'il fréquente. Souvent l'initiation sexuelle se borne à mettre le jeune homme en garde contre les « dangers » de la masturbation. Pourtant les pensées qui l'agitent et sa sensualité naissante le rendent perplexe et anxieux, et il aimerait savoir comment aborder ce nouveau problème, sans se tromper et avec une claire connaissance de ce qui est bien et de ce qui est mal.

On peut l'aider vraiment en discutant avec lui de tout le problème, en lui présentant les faits avec tact, mais sans fausse honte.

Le développement psychosexuel de l'individu est traité en détail au chapitre 3. Nous allons décrire ici, pour commencer, la structure physique des organes sexuels.

Organes génitaux mâles

TESTICULES

Le scrotum contient les testicules et les maintient à température constante; il possède une musculature qui se contracte et se relâche. La température des testicules est d'environ un degré plus basse que celle du corps. Les hommes savent bien que, dans l'eau froide, le scrotum se contracte, de façon à rapprocher les testicules du corps et à les tenir au chaud, mais qu'inversément un relâchement se produit dans l'eau chaude, les éloignant du corps.

Si pendant un certain temps la température des testicules monte de deux ou trois degrés (par exemple en cas de forte fièvre), la production du sperme peut momentanément s'interrompre. Il est cependant improbable que les bains chauds, tenus par certaines races pour une pratique contraceptive chez l'homme, aient une utilité réelle. Pour que cette technique ait quelque chance de réussite, l'eau du bain devrait être maintenue à une température très élevée tandis que celui-ci se prolongerait. On conseille cependant aux hommes qui sont peu féconds de ne pas porter des sous-vêtements trop serrés, car si les testicules sont toujours en contact avec la chaleur du corps, la production du sperme, déjà peu abondante, pourrait diminuer encore.

Les canaux séminifères

Les testicules sont tapissés intérieurement par les canaux séminifères, où se forment les spermatozoïdes. Chaque testicule possède de 300 à 600 canaux séminifères d'environ 30 à 90 cm. Leur longueur totale atteint près de 800 mètres.

Les spermatozoïdes

Les parois des canaux séminifères sont tapissées de tissu germinatif qui produit de façon ininterrompue des spermatozoïdes (spermatogénèse), où les 23 paires de chromosomes originaux se divisent en deux, pour laisser à chaque spermatozoïde 23 chromosomes.

A la naissance, le tissu germinatif existe déjà sur les parois des canaux séminifères, mais les spermatozoïdes n'arrivent à maturité qu'à la pu-

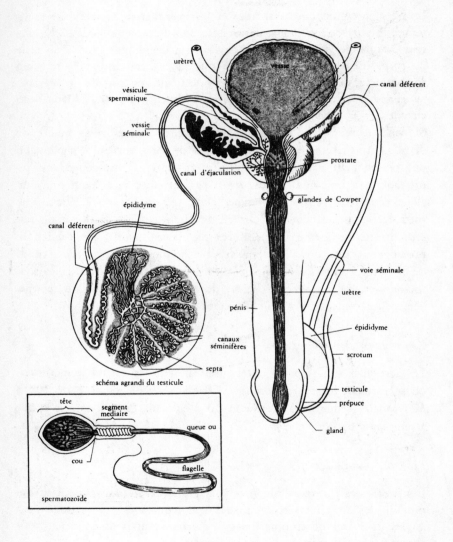

Figure 1: Schéma des organes génitaux masculins (vue antérieure)

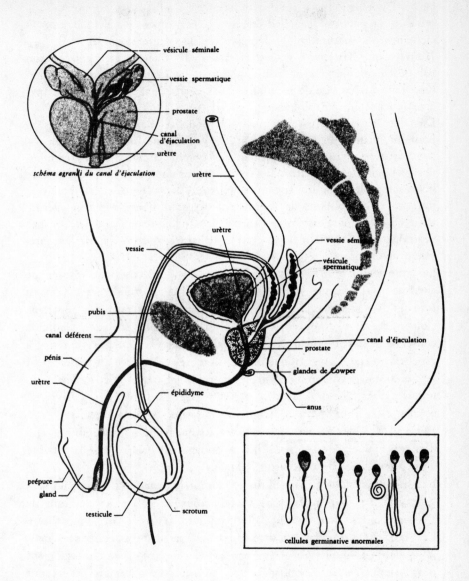

vésicule séminale

vessie spermatique

prostate

canal
d'éjaculation

urètre

schéma agrandi du canal d'éjaculation

urètre

urètre

vessie

vessie sémi...

vésicule
spermatique

pubis

canal déférent

pénis

urètre

épididyme

prostate

canal d'éjaculation

glandes de Cowper

anus

prépuce

gland

testicule

scrotum

cellules germinative anormales

Schéma des organes génitaux masculins (coupe)

berté. L'apparition des spermatozoïdes est d'ailleurs le critère indiscutable de la puberté chez l'adolescent. Il est impossible de hâter artificiellement la maturation et l'apparition des spermatozoïdes.

Il arrive que des jeunes gens parviennent à l'orgasme et à l'éjaculation par des manipulations du pénis ou lorsqu'ils font des rêves érotiques, mais tant que ce liquide ne contient pas de spermatozoïdes ils n'ont pas atteint leur puberté biologique.

Dès que la puberté est atteinte, la production des spermatozoïdes se poursuit jusqu'à un âge très avancé. Tout comme une seule cellule — par partition cellulaire — produit un nombre infini d'autres cellules, des millions de spermatozoïdes naissent constamment et peuvent être libérés sans le moindre appauvrissement. Ce processus n'est jamais limitatif: si des billions de spermatozoïdes sont libérés, le tissu germinatif en fabriquera davantage encore, aussi longtemps que les organes reproducteurs fonctionneront et que le corps fournira la matière première nécessaire.

La crainte qu'éprouvent certains jeunes de « brûler » leur réserve de spermatozoïdes avant le mariage n'a donc aucun fondement. C'est à tort qu'ils s'imaginent que cet « abus » aura plus tard des répercussions sur les relations conjugales. Sauf en cas de maladie, l'homme conserve sa virilité jusqu'à un âge très avancé. Toutefois, après des rapports sexuels très fréquents, le nombre des spermatozoïdes peut temporairement diminuer dans le sperme, sans que leur mobilité diminue. Chez l'homme il n'y a pas d'arrêt brusque de la fertilité, comme c'est le cas pour la femme au moment de la ménopause.

Vers 70 ans, les canaux séminifères commencent à s'épaissir, ce qui diminue l'apport de sperme. Il a cependant été prouvé que la fertilité d'un homme peut durer jusqu'à 94 ans!

Les spermatozoïdes sont produits en nombre astronomique mais un seul suffit à la fécondation. Lors de l'acte sexuel, de 200 à 500 millions de spermatozoïdes (parfois plus d'un milliard) entrent en compétition. Ces quantités peuvent paraître curieusement disproportionnées, mais il ne faut pas oublier que les chances de conception sont directement proportionnelles à l'abondance du sperme. Les spermatozoïdes sont infiniment petits. Les deux mille cinq cent millions de spermatozoïdes qu'il faudrait pour être le père de toute l'humanité actuelle tiendraient facilement dans un dé à coudre!

Le spermatozoïde se compose d'une tête, d'une partie médiane et d'un appendice. La tête contient tous les chromosomes transmetteurs des caractères héréditaires. L'appendice ou flagelle possède un mouvement de fouet qui assure la progression.

Epididyme

Quand la cellule du spermatozoïde a été formée (avec sa garniture de 23 chromosomes) elle poursuit sa progression des parois au centre des canaux séminifères. Des contractions péristaltiques des canaux amènent les spermatozoïdes jusqu'à l'épididyme, où se fait la maturation. L'épididyme forme une masse derrière les testicules et sur chacun d'eux. Chaque épididyme, d'environ 5 cm., contient un ensemble de canaux séminifères d'environ 6 mètres. Les spermatozoïdes y séjournent jusqu'à leur complète maturité, soit à peu près 6 semaines. Les cellules du sperme y subissent également une sélection par absorption des cellules impropres à la procréation et à la transmission des facteurs héréditaires. L'épididyme détruit également des cellules parfaitement normales. En effet, les spermatozoïdes sont alimentés par la membrane de la paroi, si bien que les cellules qui se trouvent au centre ont moins de chances de survie.

Les hormones mâles

La formation des spermatozoïdes relève donc des testicules, qui ont également pour tâche de produire des hormones mâles, ou *testostérone*, qui donnent à l'homme son comportement viril et agissent sur la croissance de la barbe et de la pilosité corporelle, la profondeur de la voix et la vigueur de l'esprit.

Ces hormones sont produites dans les cellules intersticielles et sécrétées directement dans le système sanguin. On n'en trouve dans le sperme que des traces infimes.

Les hormones femelles, ou *folliculine*, sont également produites par les testicules et on les trouve aussi dans l'organisme de l'homme, en quantités variables.

Les hormones mâles et femelles sont donc produites par les deux sexes. Chez les femmes, on trouve logiquement davantage de folliculine, tandis que chez les hommes le testostérone prédomine.

La castration

L'ablation des testicules (castration) enlève à l'homme la faculté de produire des spermatozoïdes, sans interdire les rapports sexuels avec éjaculation. La plus grande partie de la testostérone sera donc perdue, mais il en sera pourtant fabriqué de petites quantités par d'autres glandes, les surrénales par exemple. Si la castration se fait avant la puberté, elle empêche l'apparition des caractères sexuels secondaires tels que la croissance de la barbe et la mue de la voix.

Autrefois on faisait subir cette opération aux enfants de chœur, pour que leur soprano ou leur contralto conserve toute sa pureté au-delà de l'enfance. On les appelait d'ailleurs des castrats.

La castration après la puberté ne modifie généralement pas les caractères sexuels secondaires. Il faut moins de testostérone pour maintenir ces caractères qu'il n'en a fallu pour les faire apparaître. Si un seul testicule a été enlevé, la puissance reproductrice dépend proportionnellement de la glande restante. Si le testicule qui subsiste est normal, la fertilité sera bonne et la formation d'hormones sera suffisante pour que l'individu se développe harmonieusement.

Maladies

Plusieurs maladies peuvent avoir des répercussions sur la spermatogénèse, ou formation du sperme. L'observation a prouvé que les oreillons, par exemple, n'ont pas d'effet nocif sur les testicules avant la puberté, mais après la puberté cette maladie peut se compliquer et entraîner une enflure considérable d'un ou des deux testicules, ce qui amène parfois une atrophie et diminue notablement la spermatogénèse. Des cas moins graves n'entraînent qu'une légère diminution du nombre des spermatozoïdes, qui perdent parfois un peu de leur mobilité.

Testicules non descendus

Si, à la puberté, les testicules ne sont pas descendus, la formation des spermatozoïdes en sera sérieusement compromise, à cause de la température trop élevée du corps.

On a recours à des injections d'hormones, voire à une intervention chirurgicale pour que les testicules descendent dans le scrotum lorsque le garçon a 8 ou 9 ans.

Dans les cas très rares où, à la puberté, les testicules ne sont pas descendus, les hormones mâles, ou testostérone, seront tout de même produites puis absorbées. Les caractères sexuels secondaires n'en seront pas affectés.

LE CANAL DÉFÉRENT

Après leur passage à travers les testicules et les épididymes les spermatozoïdes se faufilent à travers un canal en forme d'aiguille, le canal déférent, de 40 à 45 cm. de long, qui débouche dans l'urètre. Les parois du canal déférent possèdent une très forte musculature fortement contractile (contractions péristaltiques) et elles sont munies d'imperceptibles protubérances comparables à des poils, ou cils. A ce stade de son développement le flagelle du spermatozoïde n'est pas encore capable de propulser la cellule, si bien que ce sont les cils du canal déférent et ses contractions péristaltiques qui le font progresser.

La stérilisation de l'homme

Pour stériliser l'homme, on ligature ou on coupe le canal déférent. Comme ce conduit passe sous les testicules, cette intervention peut se faire en quelques minutes, sous anesthésie locale. L'opération empêche le passage du sperme et par conséquent toute possibilité de fertilisation. Elle n'affecte en rien l'activité sexuelle, les relations sexuelles et l'éjaculation et n'altère en rien les caractères sexuels secondaires. Les testicules demeurent intacts et la testostérone qu'ils sécrètent est directement absorbée par la circulation sanguine. Les testitules continuent à former des spermatozoïdes qui vivent, qui meurent et qui sont absorbés dans le canal déférent, désormais bloqué.

Malgré l'extrême facilité de cette opération comparée à la complexité de la stérilisation de la femme, les couples qui se trouvent devant cette alternative préfèrent généralement cette seconde méthode.

De nombreux ouvrages décrivent le chagrin qu'éprouve la femme, lorsqu'elle perd sa fécondité, mais l'homme n'y échappe pas non plus lorsqu'il est confronté à ce problème. De forts liens psychologiques existent entre le sentiment que l'homme a de sa supériorité, sa virilité et sa capacité de reproduction.

LA VÉSICULE SÉMINALE

La vésicule séminale est une glande d'environ 5 cm. de long, qui sécrète un liquide albumineux nécessaire au spermatozoïde pour amorcer le mouvement de fouet de son flagelle.

Ce n'est qu'après être entré en contact avec cette substance que le spermatozoïde devient indépendant et peut se propulser tout seul.

Les deux vésicules séminales sont déjà complètement formées à la naissance, mais leur sécrétion ne commence qu'à la puberté. Les deux vésicules séminales débouchent sur le canal déférent avant son arrivée à la prostate.

L'URÈTRE

L'urètre masculin a une double fonction: l'élimination de l'urine hors de la vessie et l'acheminement du sperme à travers le pénis en érection. Ces deux fonctions ne peuvent se combiner car, au moment du passage du sperme, un muscle ferme l'orifice de la vessie. Inversément, l'ouverture du canal déférent se ferme au moment de la miction.

LA PROSTATE

Le canal déférent et la portion de l'urètre où il débouche sont entourés par la prostate. Cet organe est constitué de 30 à 40 petites glandes débouchant sur l'urètre. Ces glandes produisent une sécrétion qui, semblable à celle des vésicules séminales, stimule et facilite la mobilité des spermatozoïdes. Cette sécrétion est alcaline et neutralise les acides qui se trouvent dans l'urètre de l'homme et dans le vagin où pénètre le sperme pour y accomplir sa mission de fécondation; sans elle les spermatozoïdes seraient irrémédiablement détruits par l'acide qui se trouve normalement dans le liquide vaginal.

La prostate est fréquemment un foyer d'infection chez les hommes jeunes. Chez les hommes âgés, elle est souvent le siège d'hypertrophie, voire de cancer.

Malheureusement lorsque la prostate grossit ou s'enflamme, elle obstrue le canal urinaire et la miction devient difficile et douloureuse. Chez beaucoup d'hommes âgés on doit intervenir chirurgicalement et procéder à l'ablation de la prostate. Les fonctions de cette glande sont alors partiellement reprises par la vésicule séminale, de telle sorte que ni le potentiel sexuel ni la fertilité ne s'en trouvent altérés.

LE PÉNIS, OU MEMBRE VIRIL

Le pénis est de grandeur variable. Au repos, il a une longueur d'env. 8 cm. et un diamètre d'environ 3 cm. Le pénis est, sur toute sa longueur, parcouru par l'urètre; il renferme de nombreux corps spongieux érectiles et contient un grand nombre de vaisseaux sanguins. Dans l'excitation sexuelle ces vaisseaux se remplissent de sang et prennent du volume, de sorte que le pénis devient dur et se dresse à angle droit par rapport au corps (érection). Le pénis en érection atteint environ 15 cm. de long et de 31/2 à 4 cm. de diamètre. Les dimensions du pénis n'ont pas grande importance dans la réussite de l'acte sexuel.

Au repos, le pénis peut être de grandeur très différente d'un individu à l'autre mais au cours de l'érection ces différences disparaissent: par exemple le gonflement d'un petit pénis est relativement plus important que celui d'un membre viril plus grand au repos. Pour parvenir à l'orgasme, l'accord du corps et de l'esprit sont plus importants que les dimensions d'un membre viril. Les relations sexuelles doivent en effet être la manifestation d'un amour partagé et non le symbole de la sexualité.

La circoncision

Le bout du pénis est constitué par le gland, recouvert partiellement d'une peau fine, très mobile, qui s'appelle le *prépuce*.

Lors de la circoncision, on coupe cette peau au niveau arrière du gland. Cette opération a surtout un but hygiénique, car la peau du gland sécrète une matière appelée smegma, qui ressemble à du fromage blanc. Le prépuce et le gland peuvent de ce fait souffrir d'une irritation ou d'une infection, si cette matière s'accumule et si la verge n'est pas lavée régulièrement.

La circoncision se fait généralement entre le 5e et le 8e jour après la

naissance, mais il arrive qu'on fasse cette intervention plus tardivement, surtout lorsque le prépuce entrave l'érection.

La présence du prépuce n'ajoute rien au plaisir sexuel puisque, de
toute manière, durant l'érection, le prépuce recule derrière le gland.
Il arrive exceptionnellement qu'un homme non circoncis soit sujet à
des éjaculations prématurées (avant que l'acte sexuel n'ait duré assez
longtemps pour satisfaire la femme), qui peuvent provenir d'une sensibilité excessive de l'extrémité du pénis. Pourtant, dans la plupart
des cas, ce sont les causes psychologiques qu'il faut rechercher.

LES GLANDES DE COWPER

Les glandes de Cowper, qui sont chacune de la grandeur d'un petit
pois, sont situées à l'intérieur, à la base du pénis.

Durant l'érection elles sécrètent un liquide alcalin (fluide pré-éjacu-
latoire) qui a pour mission de neutraliser l'acidité de l'urètre et de
le lubrifier pour le passage du sperme. Ce liquide ressemble à du petit
lait et on peut l'observer au bout du gland pendant l'excitation sexuelle, avant l'éjaculation. Il peut contenir un petit nombre de spermatozoïdes, ce qui rend la fertilisation possible, mais non probable. Cette
fécondation peut donc se produire sans éjaculation durant les jeux
préparatoires à l'acte sexuel, ou lorsqu'on emploie la technique contraceptive de se retirer avant l'éjaculation. On sait que cette méthode
consiste à retirer le pénis du vagin juste avant l'orgasme, donc avant
que l'éjaculation n'ait lieu. Nous reviendrons à cette méthode et nous
en discuterons au chapitre 4.

L'éjaculation

Depuis la puberté jusqu'à un âge très avancé les spermatozoïdes sont
constamment produits par l'organisme. Lors des ébats sexuels, lorsque
le pénis entre en érection, une stimulation grandissante provoque une
période d'intense excitation et de volupté qui aboutit au spasme de
l'orgasme. Le canal d'éjaculation libère alors le flux de la vésicule
séminale, de la prostate, et les spermatozoïdes qui proviennent des
épididymes et du canal déférent et des réserves sexuelles. Les muscles
du pénis et de cette région du corps se contractent pour propulser le
sperme à travers l'urètre. L'éjaculation se fait en une série de jaillis-

sements, dont le premier est obligatoirement le plus violent et contient le plus grand nombre de spermatozoïdes. Normalement une éjaculation contient 200 à 500 millions de spermatozoïdes, mais ces chiffres peuvent être plus grands ou plus petits.

Entrés dans le vagin, les spermatozoïdes réagissent d'une manière extraordinairement active et indépendante, étant donné qu'ils peuvent survivre séparés de leur tissu nutritif. A l'exception de celui qui parviendra à féconder l'ovule, les spermatozoïdes mourront dans les quelques heures qui suivront l'éjaculation. Ceux qui se seront introduits dans le système reproducteur de la femme vivront 24, voire 28 heures ou plus, mais la plus grande partie d'entre eux mourra dans le vagin. On sait maintenant de façon certaine que le sperme pour féconder l'ovule doit passer à travers presque toute la longueur du trajet féminin. Les spermatozoïdes se déplacent à une vitesse d'environ 5 cm. tous les quarts d'heure. Seuls les plus vigoureux et les plus résistants peuvent couvrir ce difficile et long parcours.

Le système génital féminin

LES OVAIRES

La femme a deux ovaires, placés dans le bassin, de part et d'autre de la matrice, contre le péritoine, où ils occupent une cavité aplatie. Ils ont la forme d'oeufs allongés ou d'amandes et ont environ 4 cm. de long, 2,5 cm. de large et 1,5 cm. d'épaisseur. Ils sont faits de tissus glandulaires et de follicules ovariens.

L'OVULE

A sa naissance la fillette a environ 50.000 follicules dans chaque ovaire, mais seul un petit nombre d'entre eux aura une vie active. Les ovules qui s'y trouvent ont déjà entamé un processus de division qui les munit chacun de 23 chromosomes. Contrairement aux spermatozoïdes dont la production continue, chez l'homme, jusqu'à un âge avancé, le nombre des cellules germinatives féminines est établi à la naissance pour la vie entière. Ces ovules demeurent inactifs jusqu'à la puberté, qui a lieu généralement vers la 14e ou la 15e année.

Chaque mois (tous les 28 jours environ), un ovule parvient à maturité.

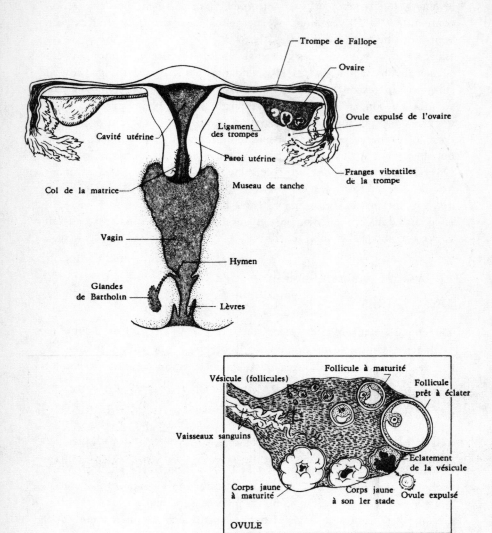

Figure 2: Organes génitaux féminins

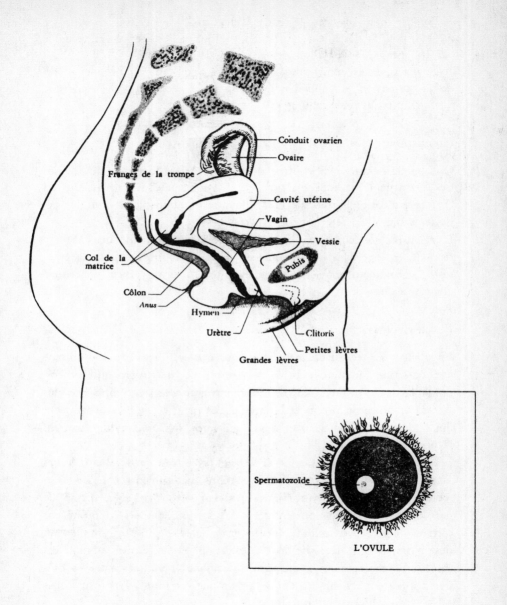

Conduit ovarien

Ovaire

Franges de la trompe

Cavité utérine

Vagin

Vessie

Col de la matrice

Pubis

Côlon

Anus

Hymen

Urètre

Clitoris

Petites lèvres

Grandes lèvres

Spermatozoïde

L'OVULE

Organes génitaux féminins (coupe)

A l'intérieur des ovaires, il repose alors dans une vésicule remplie de liquide, puis la vésicule éclate et l'ovule quitte l'ovaire; il est recueilli par les franges du pavillon des trompes de Fallope.

Avec ses réserves alimentaires destinées à l'embryon au premier stade de sa formation et immédiatement après la fécondation, l'ovule est une des plus grosses cellules du corps.

L'ovulation

On appelle *ovulation* la rupture du follicule et la libération de l'ovule. Cet événement est indépendant de l'activité sexuelle mais résulte de l'interdépendance hormonale entre l'ovaire et l'hypophyse dont les activités successives déterminent le *cycle menstruel*.

L'organisme de la femme libère régulièrement un ovule qui, s'il est fécondé, se loge dans une muqueuse spécialement prévue pour la grossesse, assurant au nouvel être humain, jusqu'à sa naissance, nourriture et protection.

Les hormones féminines

En plus de ce travail de maturation des ovules, les ovaires produisent une hormone féminine appelée *oestrogéne* ou *folliculine* qui est responsable des caractères sexuels secondaires, tels le développement des seins, l'ossature du bassin et la largeur des hanches, le capiton adipeux qui se forme sous la peau et donne au corps son doux relief féminin, la pilosité du pubis.

Les hormones féminines sont également sécrétées dans la circulation sanguine. Notons à ce propos que certains médicaments à base d'hormones naturelles ou synthétiques peuvent être pris sous forme de pastilles ou en applications locales. Mais l'effet rajeunissant prôné par certaines crèmes ou lotions dites « hormonales », provient simplement des massages que nécessite leur application, et le résultat obtenu est surtout psychologique; la quantité d'hormones féminines que ces produits apportent en supplément à l'organisme est tout à fait insuffisante à l'obtention d'un résultat valable.

Si l'un des ovaires n'existe plus ou se révèle déficient, l'autre ovaire produit habituellement suffisamment d'hormones pour maintenir inchangés les caractères sexuels secondaires, le désir sexuel et le cycle menstruel.

Lorsqu'on doit procéder chirurgicalement à l'ablation des deux ovaires, la femme ressent les troubles de la ménopause.

La production alternative des ovules

Un ovule peut être produit par l'un ou l'autre ovaire. Il semble bien d'ailleurs que les ovaires travaillent alternativement mais, si un des ovaires est supprimé, l'autre supplée à sa tâche et libère un ovule à chaque cycle.

Puisqu'il existe des jumeaux bi-vitellins et que la naissance simultanée de plusieurs enfants se produit parfois, on a la preuve qu'un ovaire peut libérer plus d'un ovule à la fois, ou que chaque ovaire peut libérer un ovule au même cycle.

Certaines femmes ignorent le moment où elles ovulent; d'autres le reconnaissent à certains symptômes, par exemple une légère douleur ou l'apparition d'un peu de mucus libéré par le vagin.

LES TROMPES DE FALLOPE

On ne connaît pas encore en détail le processus qui conduit l'ovule depuis la paroi de l'ovaire jusqu'à la trompe de Fallope.

Ces trompes ont chacune de 5 à 10 cm. de long et entourent partiellement les ovaires. L'ouverture dirigée vers la cavité abdominale possède de longues franges comparables aux pétales d'une fleur; elles recueillent le follicule à maturité pour le conduire vers sa destination. Sur la paroi extérieure de la trompe des muscles se contractent à un rythme lent et régulier, ondulatoire comme celui des vagues. C'est au moment de l'ovulation que l'amplitude de ce mouvement est la plus forte. Les cellules bordant l'intérieur de la trompe sont munies de cils vibratoires dont les mouvements aident également l'ovule à traverser les trompes pour le conduire vers l'utérus. Comme la fécondation ne se produit que dans le dernier tiers de la trompe, le spermatozoïde doit, pour y parvenir, lutter victorieusement contre ce mouvement ondulatoire.

Si la fécondation de l'ovule n'a pas eu lieu, la phase d'expulsion de celui-ci, ou *règles*, commence et la muqueuse gonflée est rejetée avec une hémorragie.

Un ovule fécondé met 3 à 4 jours pour atteindre la matrice, ou utérus. La période de fécondation n'est que de 18 à 24 heures environ.

Dans des cas fort rares, le spermatozoïde quitte la trompe de Fallope à son extrémité ouverte et féconde l'ovule dans l'ovaire ou dans la cavité abdominale. La nidation se fait alors sur un autre organe où l'ovule commence à se développer.

Il peut arriver aussi qu'une trompe soit partiellement bloquée par une infection due à une maladie infectieuse (la gonorrhée, par exemple) et laisse passer le spermatozoïde, mais non l'ovule fécondé. Son développement se fait alors dans la trompe, car l'ovule n'arrive pas à passer dans l'utérus. Ces grossesses extra-utérines se remarquent à 6 ou 7 semaines et généralement on doit enlever l'embryon chirurgicalement.

La stérilisation de la femme

Pour stériliser la femme on sectionne chirurgicalement et on ligature les trompes. La stérilisation est une opération irréversible, qui n'affecte pas le désir sexuel ni sa satisfaction et n'altère aucune des autres fonctions féminines, par exemple la menstruation, puisque les hormones sécrétées par les ovaires passent directement dans la circulation sanguine. L'opération est techniquement simple et nécessite pour atteindre les trompes qu'une incision de la paroi abdominale. La convalescence consécutive n'est que de quatre à cinq jours.

Actuellement on cherche à réussir une opération plus simple encore, qui consisterait à poser une petite pince métallique ou plastique pour ligaturer les trompes, à travers une brève incision faite dans le vagin. Lorsque tout est normal, l'ovule fécondé s'achemine à travers les trompes vers l'utérus, où il s'implante et se développe jusqu'à la naissance.

LA MATRICE (UTÉRUS)

La matrice est dotée d'une musculature remarquable. C'est un organe creux, ferme, ressemblant à une petite poire, qui peut se développer et s'étirer au point de contenir un enfant de huit livres qui mesure 50 cm. à sa naissance. Six semaines après, la matrice a déjà retrouvé sa forme et son volume normal. Le col de l'utérus se trouve légèrement en arrière et en-dessous du corps même de la matrice, et les trompes débouchent dans la partie supérieure du corps. La partie inférieure, arrondie, de l'utérus pénètre d'environ 1 cm. dans le vagin (museau de tanche). Les parois intérieures du col utérin possèdent un riche tissu glandulaire dont les sécrétions muqueuses attirent et stimulent les spermatozoïdes et préviennent l'intrusion de bactéries. Le canal du col utérin met en communication la cavité de la matrice avec celle du vagin.

La voie est donc ouverte depuis les ovaires, à l'intérieur de l'abdomen, jusqu'à l'extérieur du corps, par les trompes, l'utérus, le museau de tanche et le vagin.

L'intérieur de l'utérus, tapissé par une muqueuse appelée endomètre, est spécialement préparé par le cycle menstruel pour accueillir l'ovule fécondé.

Il arrive que la matrice ne fasse pas convenablement son travail, ce qui est une des causes principales, à côté d'autres facteurs, de l'avortement d'ovules fécondés. Un traitement préventif à base d'hormones parvient à minimiser ce risque.

Si l'ovule n'est pas normalement constitué ou s'il n'adhère pas parfaitement à la paroi de la matrice, le plus petit choc arrive à le détacher, spécialement à l'époque où les règles seraient apparues s'il n'y avait pas eu fécondation. Par contre si l'ovule est sain et sa nidation bonne, il se développera, jusqu'à l'accouchement, à l'endroit où il s'est fixé sur la paroi interne de l'utérus.

Pour des raisons médicales, l'ablation de l'utérus peut se révéler indispensable. Toute possibilité de procréer est de ce fait supprimée, mais grâce aux progrès de la chirurgie, les relations sexuelles n'en sont pas altérées. Le vagin est reformé et les ovaires restés intacts (s'ils ne sont pas malades, eux aussi) continuent à produire des hormones féminines qui maintiennent les caractères sexuels secondaires.

Le cycle menstruel

Si la fécondation n'a pas eu lieu, la muqueuse utérine, devenue inutile, est rejetée avec une hémorragie et les règles débutent. La menstruation est un processus naturel qui annonce le début de la puberté.

L'hypophyse, située à la base du cerveau, est une glande de la grosseur d'un pois. C'est elle qui contrôle en grande partie les cycles menstruels, en collaboration avec les ovaires.

L'hypophyse se divise en deux lobes: le lobe antérieur et le lobe postérieur. Ce sont surtout les sécrétions du lobe antérieur qui influent sur les ovaires et, partant, sur le cycle menstruel. Pendant la première partie de la vie de la fillette, le lobe antérieur conditionne la croissance du corps mais, à la puberté, l'activité de cette glande augmente considérablement. En quelques mois, elle amène la jeune fille à la maturité sexuelle.

Des sommités médicales ont noté qu'il pouvait se passer des mois, voire plusieurs années, entre l'apparition des premières règles et le moment où la jeune fille était réellement capable d'enfanter. Nous en ignorons encore la raison.

L'interaction des hormones formées par l'hypophyse et les ovaires est fort complexe. La maturation du follicule (sac qui contient l'ovule) est conditionnée par l'hormone folliculaire (FSH) sécrétée par le lobe antérieur de l'hypophyse. Le follicule lui-même sécrète l'hormone folliculaire (folliculine) (FH) qui règle la croissance de la muqueuse utérine où se fera éventuellement la nidation des ovules fécondés.

Après l'ovulation, quand l'oeuf a quitté le follicule, une autre hormone du lobe antérieur de l'hypophyse déclenche le développement et la transformation des parties restantes du follicule en « corps jaune »: c'est l'hormone de lutéinisation (LH). Ce corps jaune produit à la fois de la folliculine et une nouvelle hormone appelée progestérone qui prépare l'endomètre à recevoir et à nourrir l'oeuf. En même temps il sécrète une plus grande quantité de folliculine qui progressivement freine l'hypophyse dans son action du maintien du corps jaune. Ce dernier disparaît peu à peu, ce qui entraîne une cessation de son activité et par conséquent une désintégration de la muqueuse prémenstruelle. C'est ainsi que le flux menstruel, ou menstruation, commence.

Les règles, ou menstruation, apparaissent généralement entre la 11e et la 13e année, mais elles peuvent survenir plus tôt, vers la 9e année déjà, tout comme elles peuvent n'apparaître que vers la 18e année.

Il est intéressant de constater que plus une femme a été réglée tôt, plus elle est apte à concevoir longtemps.

Dans l'adolescence, on observe souvent une certaine irrégularité dans l'apparition des règles, avec des écarts qui peuvent aller de 4 à 6 semaines. Dans ce cas la matrice et les ovaires ne se conforment au cycle normal qu'après un certain temps d'acclimatation. En règle générale, la menstruation est régulière au bout d'une année.

Le cycle menstruel s'établit selon un programme ininterrompu et ré-

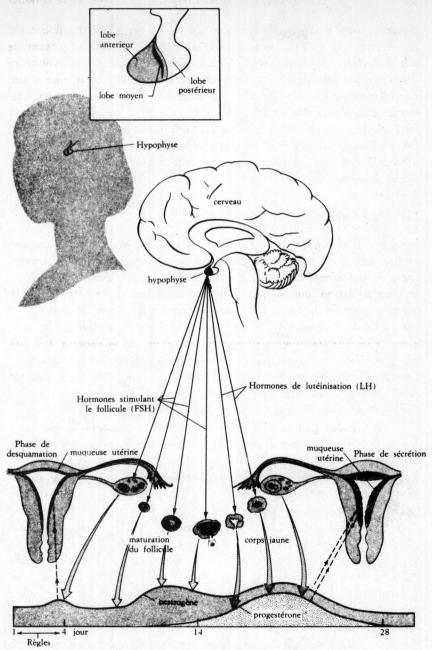

Figure 3: Régulation hormonale et cycle menstruel

gulier de 28 jours. Mais sa durée peut aussi varier. Chez certaines femmes, ce cycle est de 21 jours, voire même de 35 jours ou plus. Tant que les cycles reviennent avec régularité, ces différences semblent n'entraîner aucune incidence sur l'état de santé ou la fécondité. A ce propos, remarquons qu'une femme qui a un cycle de 28 jours a plus de chance d'être enceinte qu'une femme dont le cycle est de 35 jours: en effet la première ovule 13 fois par an et la seconde 10 fois seulement. Pour plus de commodité, nous prendrons comme exemple un cycle normal de 28 jours, à partir du premier jour des règles. Ce cycle comprend 4 phases.

Les phases des cycles menstruels

Pendant le cycle précédent, l'oeuf n'a pas été fécondé et la muqueuse utérine est donc rejetée avec l'ovule mort: les règles commencent. *C'est ce qu'on appelle la phase de desquamation* (1er-4e jour).
Le flux menstruel ne comporte que 60 grammes de sang environ, liquide comme de l'eau, qui entraîne avec lui des débris de tissus.
La durée des règles varie d'une femme à l'autre; elle est d'un à 8 jours, mais en moyenne cette période est de 3 à 5 jours. Les femmes qui y font exception peuvent néanmoins jouir d'une santé parfaite.
Lorsqu'une femme constate qu'il y a de grandes variations dans le cycle de ses règles, elle doit consulter un médecin.
Dans la majeure partie des cas, les règles n'entraînent pas de troubles

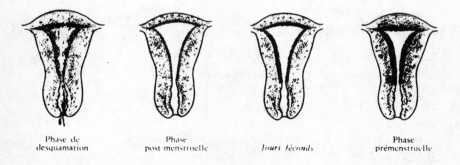

| Phase de desquamation | Phase post-menstruelle | Jours féconds | Phase prémenstruelle |

Figure 4: Cycles menstruels et jours féconds

marqués. Elles peuvent s'accompagner de légères douleurs abdominales
(ou de crampes, ou de maux de reins), d'un peu de nervosité et de
fatigue.
On ne saurait assez répéter que *les règles ne sont pas une maladie.*
Une maladie peut se répercuter sur elles, mais les règles normales sont
un signe de bonne santé.
Cette première phase dure environ 4 jours.

Phase post-menstruelle (après les règles)

Immédiatement après les règles, la muqueuse utérine est mince. Dès
le 3e ou le 5e jour après les règles, l'hypophyse envoie l'hormone FSH
aux ovaires et la maturation d'un ovule commence à l'intérieur d'un
follicule de Graaf.

Phase intermenstruelle (jours féconds)

Les ovaires sécrètent à leur tour une hormone spéciale (folliculine ou
FH) vers la muqueuse utérine, qui commence à s'épaissir.
Vers le 5e jour de cette phase (donc au 14e jour du cycle), un ovule
à maturité sort du follicule. L'ovulation est ainsi réalisée. L'ovule
pénètre ensuite dans une des trompes. Si l'ovule est fécondé dans la
trompe, il passera dans l'utérus qui, entre temps, s'est préparé à le
recevoir, à le fixer et à le nourrir en vue de son développement (nidation).
Cette phase dure 14 jours, ce qui nous amène au 23e jour du cycle.

Phase prémenstruelle

La muqueuse utérine est maintenant épaissie, prête à accueillir l'ovule
fécondé pour sa nidation dans ses tissus fertilisants.
La grossesse commence et la menstruation est suspendue jusqu'à la
5e ou la 8e semaine qui suit la naissance de l'enfant. Si la mère allaite
plus longtemps, les règles sont suspendues jusqu'au sevrage (la lactation
supprime généralement la menstruation).
Si l'ovule n'est pas fécondé, il se désagrège tandis que la muqueuse
utérine, devenue inutile, est rejetée, avec le flux des règles. Seuls
subsistent les tissus de régénération.

La phase de sécrétion dure environ 5 jours, ce qui termine les 28 jours du cycle.

Les règles sont un processus tout à fait naturel, nécessaire à la reproduction de l'espèce, mais malgré cela il existe encore de multiples superstitions à ce sujet et certaines femmes éprouvent une véritable crainte des jours critiques. Elles souffrent de ces tabous, profondément enracinés, qui attachent aux règles une idée de malédiction. On dit par exemple qu'une femme qui touche des fleurs pendant ses règles les flétrit.

Dans l'ancienne Perse, on croyait que, pendant les menstrues, la femme était possédée d'un démon. Dans l'antiquité, à Rome, on leur imputait les mauvaises récoltes. D'ailleurs, selon la loi musulmane et coranique — comme l'indique également l'Ancien Testament — la femme est considérée comme impure pendant ses périodes menstruelles.

Cette notion d'impureté provient sans doute de l'idée erronée que les régles et l'urine sont de même provenance. On peut comprendre que des connaissances insuffisantes du processus physiologique de la menstruation aient pu donner naissance à de pareilles superstitions, qui n'ont plus cours de nos jours.

Même avec une meilleure connaissance des phénomènes de la menstruation, les femmes ne sont pas, pour autant, totalement libérées des craintes intimement liées à ces phénomènes. Beaucoup de femmes appréhendent le moment de leurs règles. Celles qui désirent un enfant sont déçues lorsqu'elles s'annoncent, et elles craignent de ne pouvoir avoir d'enfant. D'autres, qui n'en désirent pas, guettent l'arrivée du flux menstruel qui les rassurera. La femme qui désire un enfant peut d'ailleurs éprouver un sentiment de crainte lorsqu'elle se sait enceinte. Le temps n'est pas loin où la grossesse empêchait la future mère de mener une vie normale.

Actuellement, les risques que court la femme enceinte sont devenus infimes; nous disposons de tout un éventail de médicaments, antibiotiques, « banques du sang », etc. On demande aux sages-femmes des qualifications très poussées, les hôpitaux possèdent les installations les plus modernes et, s'il le faut, on a recours à la chirurgie. Malgré cela, certaines femmes, à l'idée d'enfanter, continuent à éprouver une véritable panique comme si aucun progrès n'avait été réalisé.

Généralement les règles ne correspondent pas véritablement à une « indisposition », mais certaines femmes se sentent légèrement « patraques ». Pendant cette période, l'irrigation sanguine dans les organes génitaux internes augmente beaucoup, ce qui peut amener ces malaises, ou encore la musculature de la matrice se contracte fortement, ce qui empêche le flux des règles de s'écouler librement à travers le col de la matrice.

Lorsque l'état général d'une femme est mauvais, elle peut ressentir des tiraillements dans le bas-ventre, de la fatigue, voire un abattement général fortement dépressif, ainsi que d'autres manifestations secondaires qui apparaissent pendant les règles. Les crampes, les douleurs du bas-ventre ou des reins, les nausées, les vomissements pendant les périodes doivent faire l'objet de soins médicaux.

Le déroulement normal des menstrues ne dépend pas uniquement de l'état général, mais aussi de l'état mental de la femme. Son attitude positive vis-à-vis de la menstruation (souvent copiée sur celle qu'avait sa mère), l'acceptation de son rôle de femme et de sa mission créatrice — dont les règles sont la manifestation biologique — l'aident beaucoup à surmonter les quelques inconvénients de ces périodes.

Il faut parler aussi de la tendance à broyer du noir qu'ont les femmes peu avant le début des règles, et qu'on appelle d'ailleurs « dépression menstruelle ». Les hormones qui stimulent l'épaississement de la paroi utérine apportent aussi un sentiment de bien-être à tout l'organisme: or, juste avant la menstruation, ces hormones font défaut et leur absence provoque une « chute de moral » assez brève, mais désagréable. La femme « est mal dans sa peau », pesante, déprimée; elle ne se sent pas sûre d'elle; anormalement sensible elle a besoin d'égards particuliers. Pour l'hygiène menstruelle, on conseille soit les serviettes hygiéniques, maintenues par une ceinture spéciale, soit les tampons que l'on introduit dans le vagin sans blesser l'hymen, et qui donnent une agréable sensation de liberté de mouvement. Cette nouvelle méthode permet à la femme de ne rien changer à ses habitudes; pendant ses jours critiques elle peut monter à cheval, patiner, danser, voire nager. Elle ne se sent donc plus en état d'infériorité vis-à-vis de son entourage et des hommes en particulier.

La ménopause

Les cycles menstruels cessent habituellement entre 45 et 50 ans. La production de follicule tarit petit à petit, ce qui se traduit par une plus grande irrégularité des règles et par leur espacement de plus en plus grand. Après des années de travail, les ovaires abandonnent graduellement leur fonction d'ovulation, mais poursuivent cependant leur sécrétion d'hormones femelles. C'est l'une des raisons pour lesquelles actuellement on se montre très prudent en chirurgie lors d'opérations dans le bas-ventre, où l'on cherche toujours à protéger les ovaires.

Cette période où décline le pouvoir de reproduire s'appelle la *ménopause*. Il arrive parfois que la femme qui n'a plus d'ovulation abandonne toute précaution contraceptive... pour se retrouver enceinte! Ce genre de fécondation n'est pas rare, et il y a de nombreux « enfants de la ménopause », ou « enfants du miracle »!

Il faut donc se montrer très prudent et se dire que deux ans doivent s'écouler après la disparition des règles pour que la femme soit certaine de ne plus pouvoir concevoir.

Lors de la ménopause, le jeu des hormones qui détermine le cycle menstruel est interrompu et jusqu'à ce qu'un nouvel équilibre soit atteint le système glandulaire peut être gravement perturbé, entraînant à sa suite le système nerveux, qui risque à son tour d'être affecté. Les règles irrégulières s'accompagnent alors d'obésité, de vapeurs, de poussées de sang à la tête, de plaques rouges au visage, de palpitations, etc. Des troubles de l'équilibre psychique surviennent même parfois, et la femme passe alors par des périodes de dépression, d'irritabilité, d'hyperexcitabilité, voire de tension nerveuse ou de mélancolie.

A l'idée qu'elles ne pourront plus procréer, certaines femmes ont le sentiment de perdre aussi leur féminité, leur attrait, et il leur semble que leur rôle ici-bas est terminé.

Ces femmes déprimées à la ménopause sont souvent celles qui, jeunes filles, ont souffert de dépression avant leurs règles, et qui ne l'ont plus éprouvée pendant leurs années de fécondité. Pour accepter sa féminité, la jeune fille a dû se dire qu'au lieu d'un membre viril elle avait le pouvoir de donner le jour à un enfant. Ce mécanisme est d'ailleurs quasi inconscient (voir la phase génitale du développement psychosexuel au chapitre 3). A la puberté, elle acquiert tous les signes extérieurs de la féminité: les premières règles témoignent de sa maturité sexuelle et les caractères sexuels secondaires apparaissent en même temps: la poitrine se développe, la pilosité du pubis et des aisselles apparaît, le bassin s'élargit, les traits du visage prennent de la douceur. La jeune fille embellit et devient femme.

A la ménopause, la femme comprend que sa vocation de donner la vie prend fin, qu'elle va perdre sa beauté et son attrait. Plus elle aura vécu en fonction de cette vocation et plus sa dépression sera accusée, car elle n'aura pas su se ménager une activité de remplacement d'égale valeur. Les difficultés que rencontrent les femmes à la ménopause sont donc proportionnelles au niveau de leur équilibre émotionnel.

La femme qui jouit d'un bon équilibre aura toutes les chances de passer sereinement la période de la ménopause. En fait, il semble que les femmes surmontent facilement et sans heurts sensibles les épreuves physiques et psychiques qui s'y rattachent. Dans leur cas d'autres glandes, les surrénales, augmentent leur production d'hormones et assurent à l'organisme équilibre et stabilité.

Mais lorsque la nature ne réagit pas comme elle le devrait, le médecin prescrit une thérapie hormonale, qui y supplée parfaitement.

Souvent l'anxiété de la femme devant la ménopause provient de sa crainte de voir disparaître la satisfaction sexuelle dans les rapports. Il n'en est généralement rien et c'est souvent le contraire qui se produit car la femme, qui ne risque plus d'avoir d'enfants, se laisse mieux aller et connaît de plus profonds plaisirs émotionnels. Son partenaire trouvera, peut-être, fatigant de satisfaire ce regain d'érotisme, ces nouveaux appétits, surtout si sa virilité est un peu en perte de vitesse...

Les manifestations de la ménopause sont si variées et si complexes que l'entourage ne les comprend pas toujours ou les tolère mal. Les femmes dont la ménopause se passe sans heurts notoires ne peuvent s'empêcher de critiquer celles qui, visiblement, en souffrent physiquement et psychiquement: elles les traitent de « trouble-fête » qui cherchent à attirer l'attention, la sympathie ou la pitié.

Maris et enfants sont parfois déroutés et irrités par les manifestations de la ménopause. Une certaine tension s'ensuit dans les relations familiales. Mais les hommes ne devraient pas oublier qu'ils connaîtront aussi leurs problèmes hormonaux (en général moins accusés que ceux de la femme). Vers la cinquantaine, ils comprendront mieux les problèmes de « l'âge critique » que leur femme a dû affronter une dizaine d'années plus tôt.

Les organes génitaux externes de la femme

Nous n'avons décrit jusqu'ici que les organes sexuels féminins directement intéressés à la reproduction, et nous passons maintenant aux organes génitaux externes, qui comprennent:

LES DEUX GRANDES LÈVRES

Elles sont constituées par des plis de la peau recouverts de poils, et qui se réunissent en avant à la naissance du pubis. Elles protègent les structures anatomiques qui les séparent du vagin.

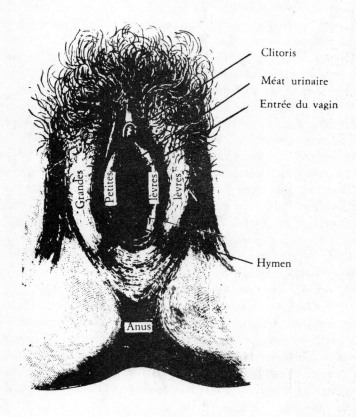

Clitoris

Méat urinaire

Entrée du vagin

Grandes

Petites

lèvres

lèvres

Hymen

Anus

Figure 5: Les organes de copulation de la femme

LES DEUX PETITES LÈVRES

Elles se trouvent immédiatement à l'intérieur des grandes lèvres, sans pilosité, et sont munies d'un réseau de veines et de terminaisons nerveuses. Elles gonflent après stimulation, au cours de l'excitation sexuelle.

L'HYMEN

A l'entrée du vagin et le fermant en partie se trouve une membrane cutanée appelée *hymen*. Cette membrane est percée en son centre d'un orifice qui permet l'écoulement du flux menstruel. Chez certaines femmes, cette ouverture est petite et l'hymn forme une plaque cutanée entière; chez d'autres, elle ne forme qu'un anneau cutané mince autour de l'entrée du vagin.

Lorsque la jeune fille utilise des tampons, au moment des règles, le tampon peut, en principe, passer par cet orifice. Mais chez certaines femmes l'ouverture de l'hymen est si petite que l'introduction d'un tampon est pénible, voire douloureuse. Ces jeunes filles utiliseront alors des bandes hygiéniques, en attendant que l'ouverture soit élargie.

La fonction biologique de l'hymen semble limitée à l'enfance de la fillette. Avant la puberté, l'hymen défend le vagin contre la pénétration de micro-organismes porteurs d'infection et empêche l'enfant d'y introduire les doigts ou des corps étrangers, car les bébés cherchent souvent à introduire des objets dans tous les orifices qu'ils découvrent! Après la puberté, les sécrétions du vagin suffiront à le prémunir contre les infections.

Chez la femme adulte, l'hymen n'a pas de fonction biologique, si ce n'est sa grande sensibilité à l'excitation sensuelle. Toutefois l'hymen est souvent lié à des croyances sociales ou sexuelles. Un hymen intact est considéré comme un signe de virginité.

Dans les milieux où la virginité est très prisée, le privilège et la responsabilité de rompre l'hymen reviennent au mari, lors de la consommation du mariage. Le léger saignement qui suit cette rupture est considéré comme la preuve formelle de la virginité de la jeune fille. Et pourtant l'hymen peut être détruit ou dilaté de plusieurs manières avant les premières relations sexuelles, de sorte que l'écoulement de sang n'accompagne pas obligatoirement ces rapports.

La déchirure ou la perforation de l'hymen peut être pénible et même douloureuse. Mais lorsque les partenaires s'aiment et se respectent, cet acte est une expérience plus agréable que pénible. Toutefois il n'est pas rare qu'il faille plusieurs tentatives pour arriver à une pénétration complète.

Il faut relever ici que les femmes peuvent éprouver des satisfactions sexuelles qui laissent leur hymen intact mais que leur futur mari peut trouver répréhensibles. Lorsque la virginité de l'un ou de l'autre des conjoints est un élément important du mariage, les fiancés doivent se poser directement la question et y répondre ouvertement. Si l'un des fiancés ne s'estime pas satisfait par cette conversation et exige d'autres preuves, il vaudrait sans doute mieux renoncer à une union qui, d'emblée, se fonde sur le doute, la méfiance et une certaine suspicion.

L'URÈTRE

Devant l'orifice vaginal et entre les petites lèvres, débouche l'urètre, ou méat urinaire, qui évacue l'urine.

L'urètre est séparé des organes sexuels et ne participe pas aux fonctions de la reproduction, quoique sa partie extérieure soit sensible à l'excitation sexuelle.

LE CLITORIS

A l'endroit où se rejoignent sur la ligne médiane la partie supérieure des petites lèvres, se trouve un organe qui ressemble à un minuscule pénis et qui s'appelle le *clitoris*.

Il est très richement innervé et son réseau sanguin le rend érectile lors de l'excitation. Le clitoris est la source principale du plaisir dans les relations sexuelles et il est certainement le plus sensible des organes sexuels.

Les jeunes filles et les femmes le massent avec la main en y exerçant une légère pression pour augmenter leur plaisir. Dans les cas de masturbation féminine, le clitoris est le plus fréquemment excité en vue de la jouissance, spécialement chez les jeunes filles qui veulent éviter de détruire leur hymen en introduisant des objets dans leur vagin ou en le manipulant.

Comme le clitoris est extrêmement sensible et qu'il est souvent l'instrument de l'orgasme, l'homme qui prépare la femme aux relations sexuelles peut la stimuler par un léger massage de cet organe, en y ajoutant des caresses, des baisers, en lui palpant doucement les seins, etc. C'est ce qu'on appelle les *caresses préliminaires*, ou *jeux préparatoires à l'amour*.

La jeune mariée peut connaître déjà les plaisirs solitaires et les manipulations du clitoris, mais elle n'a pas encore l'expérience des rapports eux-mêmes, qui commencent avec l'introduction de la verge dans le vagin. Quand elle aura connu l'orgasme de cette manière, la jeune femme préférera ces rapports, qui entraînent une jouissance et une satisfaction beaucoup plus profondes.

Pour que la femme s'habitue plus facilement à l'acte sexuel, l'homme, avant les rapports sexuels, devrait toujours lui caresser le clitoris avec sa verge ou avec la main.

ORGASME DE LA FEMME ET DE L'HOMME

On ne sait pas encore exactement si la femme connaît deux sortes d'orgasme.

Elle peut atteindre l'orgasme (plus haut point de jouissance) par manipulations du clitoris ou par pénétration vaginale, ou par les deux actes combinés. Pour arriver à l'orgasme, plusieurs conditions doivent probablement être réunies. Il semble que, physiologiquement, l'orgasme ne dépende pas uniquement de la manière dont il est déclenché.

Certaines femmes font une différence entre ces deux manières de jouir, selon que l'orgasme est provoqué par l'excitation du clitoris ou par celle du vagin, et disent préférer de beaucoup ce dernier.

Le mécanisme de l'orgasme masculin nous est mieux connu. Le sommet du plaisir survient, chez l'homme, au moment de l'éjaculation, et il est produit par une très forte contraction des muscles de l'appareil génital, qui s'y préparent par les mouvements de va-et-vient de la verge. Il se produit alors un relâchement général du corps, des organes sexuels et de la tension émotionnelle.

Après l'orgasme, la femme se fait tendre vis-à-vis de son partenaire, quelquefois immédiatement après l'éjaculation de l'homme, parfois avec un peu de retard, et la sensation qu'elle éprouve disparaît plus lentement que chez l'homme. Elle éprouve un sentiment de bienheureuse lassitude qui dure un certain temps.

L'apparition de l'orgasme (ou son défaut) dépend en majeure partie de l'évolution psychologique de la femme et de la joie qu'elle éprouve à accepter son rôle de femme; l'habileté de l'homme ne suffit pas à le provoquer.

LES SEINS

Pour les deux sexes, les seins sont des zones érogènes, en particulier chez la femme, lorsqu'ils sont complètement développés. Les seins (glandes mammaires) sont à la naissance l'apanage des deux sexes, mais seules les glandes mammaires féminines se développent pleinement, en vue de l'allaitement.

Le poids et la forme des seins diffèrent d'une femme à l'autre; ils peuvent aussi subir des modifications au cours de la vie. Avant la puberté, les seins sont petits mais, dès son apparition, la folliculine allonge les canaux galactophores, développe les tissus de la glande mammaire qui devient ainsi plus volumineuse, plus ferme et prête pour sa future fonction de lactation.

Pendant la grossesse et l'allaitement, les seins grossissent, mais ils s'atrophient avec l'âge. Le sein gauche est souvent un peu plus développé que le sein droit.

Lorsqu'ils sont complètement développés, les seins ressemblent à deux dômes, doux au toucher, avec une aréole ronde au centre, qui paraît rugueuse à cause des glandes sébacées placées en-dessous. Les sécrétions de ces glandes aboutissent à l'aréole, ou mamelon. La musculature plate de l'aréole durcit les bouts de seins, pour donner plus de prise à la bouche du nourrisson. Les mamelons se dressent également lors de l'excitation sexuelle, spécialement lors des caresses préliminaires. Les mamelons contiennent quinze à vingt minuscules canaux qui servent à acheminer le lait produit par les glandes mammaires.

Lors de la puberté, les aréoles grandissent et se colorent, les mamelons grossissent.

Chez les célibataires et les femmes qui n'ont pas eu d'enfants, les aréoles sont roses. Après deux mois de grossesse, elles se dilatent et prennent une couleur plus foncée, qui ne disparaît jamais complètement par la suite. Les transformations physiologiques qui permettent à la femme d'allaiter n'interviennent qu'au cours de la grossesse, et la lactation commence trois ou quatre jours après l'accouchement; elle dure aussi longtemps que le nourrisson tête.

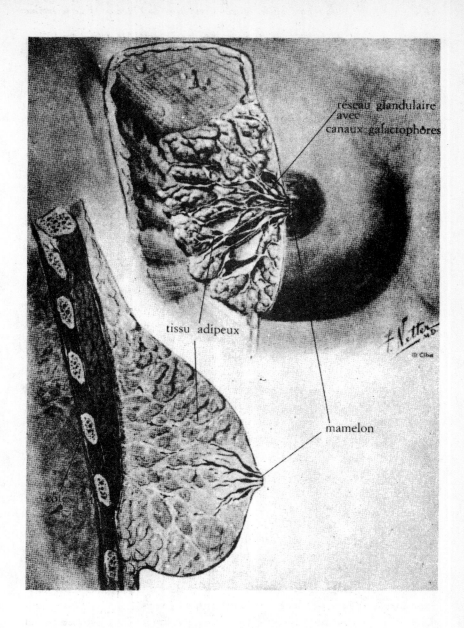

réseau glandulaire
avec
canaux galactophores

tissu adipeux

mamelon

Figure 6: La poitrine de la femme

Les seins peuvent également être une source d'anxiété. Les femmes qui n'acceptent pas, consciemment ou inconsciemment, le rôle qui leur est dévolu par la nature, ne désirent pas avoir de poitrine: elles sont embarrassées par leurs seins et en ressentent même un certain sentiment de honte, car elles y voient une marque de leur féminité.

Un trop grand développement de la poitrine, ou un manque d'épanouissement des seins peut provoquer des troubles psychiques graves.

La poitrine idéale diffère suivant la race, la condition sociale et l'époque.

LES GLANDES DE BARTHOLIN

La femme n'a pas d'éjaculation, mais elle possède des glandes dont la sécrétion lubrifie le vagin et permet l'acte sexuel. L'apparition de cette sécrétion prouve que la femme y est prête.

Plusieurs glandes participent à cette lubrification, dont les plus grandes sont celles dites de *Bartholin*. Elles sont situées de chaque côté de l'orifice vaginal et sécrètent un fluide qui lubrifie les tissus à l'entrée du vagin. Cette sécrétion, dont on peut se rendre compte avec les doigts, indique que la femme est prête à l'acte sexuel. Si le coït a lieu avant la lubrification, la pénétration est difficile, désagréable, et n'apporte aucun plaisir aux deux protagonistes.

Lorsque la femme ne sécrète pas suffisamment de lubrifiant (ce qui n'est pas rare après la ménopause), on se sert d'un lubrifiant artificiel, surtout lorsque l'homme utilise un préservatif.

Mais il est évident qu'il vaut mieux attendre l'apparition du lubrifiant naturel que déclenchent les caresses préliminaires.

LE VAGIN

Le vagin s'étend des petites lèvres au col de l'utérus et dépasse même un peu cette limite; il est constitué d'une cavité lisse, fine et élastique. Habituellement cet organe est fermé et ses parois se touchent. Elles ne s'écartent qu'à la menstruation, lors des rapports sexuels, à la naissance d'un enfant et, artificiellement, lors de l'introduction d'un tampon menstruel ou pendant les injections vaginales.

Le vagin est destiné à recevoir le pénis afin que l'éjaculation ait lieu le plus près possible du museau de tanche.

Le vagin a environ 10 cm. de longueur et son élasticité est aussi grande en longueur qu'en largeur. Au moment de la naissance il permet le passage du foetus à terme. Il s'adapte sans aucune difficulté à un pénis de 15 cm. et même d'une longueur supérieure.

La fécondation

Au moment de l'acte sexuel, le sperme (contenant les spermatozoïdes) est éjaculé contre la voûte postérieure du vagin. Une partie de ces cellules germinatives franchit le museau de tanche et pénètre dans la matrice, en se propulsant par les mouvements ondulatoires de leur flagelle, qui leur font couvrir 5 cm. tous les quarts d'heure environ. Les spermatozoïdes trouvent dans la matrice (utérus) de meilleures conditions de survie que dans le vagin, où ils ne subsistent que quelques heures. Puis ils se dirigent vers les trompes de Fallope où, malgré le courant contraire et les mouvements péristaltiques qui contrent leur progression, ils trouvent un milieu nourricier encore plus favorable. Ce phénomène de recherche du milieu le plus favorable correspond à un instinct naturel inné qu'on appelle le *tropisme* et qui joue également un rôle chez les plantes, où racines et feuilles recherchent, respectivement, l'eau et le soleil.

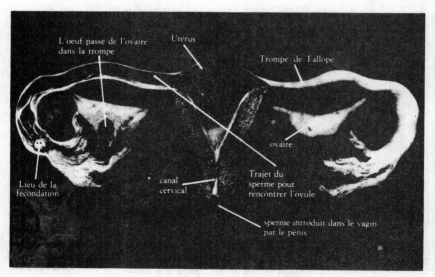

Figure 7: La fécondation

Les spermatozoïdes progressent dans les deux trompes — et non seulement dans l'une d'elles — où ils auront une chance de rencontrer un ovule mûr.

Un seul spermatozoïde pénétrera dans l'oeuf et, aussitôt, l'ovule se refermera en formant une membrane solide autour de lui, pour barrer le passage aux autres spermatozoïdes. La concurrence est grande et, généralement, c'est le spermatozoïde le plus grand et le mieux équipé qui accomplit cette fécondation. Seuls la tête et le corps central du spermatozoïde pénètrent dans l'ovule, tandis que le flagelle se détache, car moins il y a de corps étrangers dans l'ovule, mieux cela est pour le développement harmonieux du nouvel individu.

La fécondation accomplie, les 23 chromosomes du spermatozoïde s'unissent aux 23 chromosomes de l'ovule pour former le noyau, ou zygote, d'une nouvelle cellule humaine. Cette nouvelle cellule a donc une garniture complète de 23 paires de chromosomes. Là commence le processus classique de la division cellulaire (mitose). L'oeuf fécondé traverse la trompe et se fixe dans la paroi nourricière de l'utérus (nidation). La grossesse débute.

Chapitre 2

Grossesse et naissance

La grossesse débute à la conception et se termine normalement 9 mois plus tard, à l'accouchement. Mais cet état ne prend effectivement fin que 6 semaines après la naissance, quand les organes de la mère, qui s'étaient entièrement adaptés aux besoins de l'enfant, ont repris leurs dimensions premières et leurs fonctions normales.

Nous allons diviser ici la grossesse en trois phases:

a) De la fécondation aux contractions (Phase prénatale)

b) Des contractions à l'accouchement (Naissance)

c) De l'accouchement au retour à l'état antérieur (Phase post-natale, suites de couches).

Parallèlement, nous montrerons l'évolution de la mère au cours de ces différentes phases de la grossesse, les modifications physiques de sa constitution et la transformation psychique de ses sentiments.

De la fécondation aux contractions

Pendant l'acte sexuel, le pénis pénètre profondément dans le vagin et le sperme est éjaculé contre la voûte postérieure du vagin, tout près du museau de tanche, ou col de l'utérus. Le sperme arrose par saccades la muqueuse du col de l'utérus. La plus grande partie des spermatozoïdes du sperme se trouvent dans les premières gouttes de l'éjaculation et s'incrustent profondément et fermement dans le mucus du col. C'est pourquoi les injections vaginales ne constituent pas une méthode anticonceptionnelle sûre.

La solution alcaline du sperme neutralise les acides des sécrétions vaginales qui, sinon, paralyseraient rapidement les spermatozoïdes. La majorité des spermatozoïdes ne quittent pas le vagin et meurent au bout de quelques heures. Les spermatozoïdes qui se sont accrochés au mucus du col de l'utérus se frayent un chemin à travers le museau de tanche, la matrice et atteignent ensuite les trompes où la fécondation se produit généralement. Les spermatozoïdes couvrent, le long des trompes, un trajet de 12 à 18 cm. en un laps de temps qui va de 8 minutes à 8 heures ou plus. Les spermatozoïdes ne progressent pas en ligne droite et doivent vaincre les courants contraires créés par les contractions péristaltiques de l'utérus et des trompes et par les cils des cellules bordant la lumière des trompes. Leur chemin est donc semé d'embûches et les spermatozoïdes les moins solides, dont la constitution n'est pas parfaite, meurent en chemin.

Lorsque l'ovule quitte l'ovaire, il est entouré d'une couche de cellules protectrices et nourricières. On pense avoir des raisons d'affirmer que cette couche est « bombardée » par de nombreux spermatozoïdes avant que l'un d'eux n'arrive à pénétrer dans la membrane de l'oeuf. Même si les prétendants sont nombreux autour de la membrane, un seul parvient dans l'ovule. Certaines régions de la surface de l'ovule sont en effet plus résistantes que d'autres.

Dès que la tête et le cou d'un spermatozoïde ont pénétré dans l'oeuf, la membrane se referme solidement autour de l'oeuf ainsi fécondé, barrant le passage aux autres spermatozoïdes.

Le noyau de la tête et les centrosomes du cou sont indispensables pour déclencher le processus de la fécondation. Le flagelle qui n'a plus aucune utilité se détache et disparaît. Les autres spermatozoïdes, dont le rôle est terminé, vivent encore quelques heures dans le milieu favorable des trompes, puis se désintègrent à leur tour.

Dès que le spermatozoïde a pénétré dans l'ovule, les 23 chromosomes de la cellule germinative masculine s'unissent aux 23 chromosomes de l'ovule pour former le noyau (zygote) d'une nouvelle cellule. Les 23 garnitures chromosomiques ainsi formées (46 chromosomes au total) constituent l'héritage biologique complet du nouvel individu.

Cette cellule primitive grandit au point de constituer finalement un enfant terminé jusque dans ses plus petits détails. La partition cellulaire se fait d'abord en deux, puis en quatre, et ainsi de suite jusqu'aux milliards de cellules qui constituent l'individu. Ces cellules s'élaborent en premier sur les réserves de l'ovule, puis ces apports sont prélevés sur l'organisme de la mère.

La spécialisation des cellules commence très tôt. Chaque chromosome possède de 10 à 100 gènes qui agissent en catalyseurs pour diriger le développement de chaque partie du corps. Certaines cellules se spécialisent et donnent naissance aux muscles, à la peau, au cerveau, aux os, etc., tandis que d'autres assurent le développement normal de l'enfant dans le sein de sa mère.

L'ovule fécondé commence sa division cellulaire en même temps qu'il entreprend son voyage à travers la trompe de Fallope. Au bout de 3 ou 4 jours, il atteint l'utérus où il se fixe dans l'un des replis muqueux qui tapissent sa paroi. Cette paroi s'est épaissie et forme un riche tissu nourricier irrigué de vaisseaux sanguins, où ce minuscule embryon va se développer et se maintenir en vie (blastocyste).

C'est alors que se différencient les cellules qui, au cours de son développement et jusqu'à la naissance, vont constituer les différents organes de l'embryon.

L'OEUF

Le voyage de l'oeuf, ou blastocyte, depuis sa naissance jusqu'à son implantation dans la muqueuse utérine, dure 2 semaines.

Figure 8　Implantation

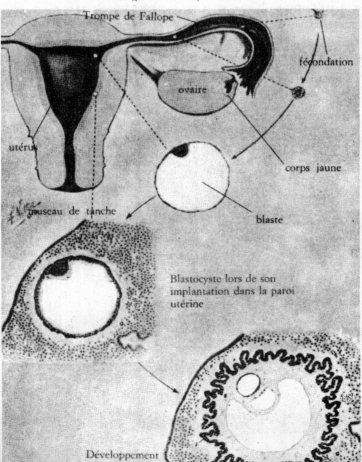

Trompe de Fallope

fécondation

ovaire

utérus

corps jaune

blaste

museau de tanche

Blastocyste lors de son implantation dans la paroi utérine

Développement

Les cellules du noyau se multiplient, mais sans apporter de notable modification à la taille du zygote (taille qui oscille autour de 1 1/2 mm.), qui ne croîtra qu'au moment de son irrigation par le .sang maternel.

Différents organes commencent à se former: le placenta qui fournit sa nourriture à l'embryon et, partant, les éléments de sa croissance, la poche amniotique qui isole l'embryon et le protège durant tout son développement, le sac vitellin qui offre sa première nourriture au zygote. A ce stade, aucun signe extérieur de grossesse n'est discernable.

L'EMBRYON

Pendant les six semaines suivantes, on appelle « embryon » le futur être humain. Pendant ce laps de temps, toutes ses cellules se différencient et tous ses organes sont formés. A la fin de cette période, l'embryon a une forme humaine parfaitement reconnaissable.

Le début de cette période est marqué par le développement des organes qui unissent la mère et l'enfant.

Dans le placenta, les vaisseaux du foetus viennent se mettre, par des divisions arborescentes, en rapport avec les lacunes vasculaires du tissu utérin. Il n'y a pas de communication entre les vaisseaux du foetus et

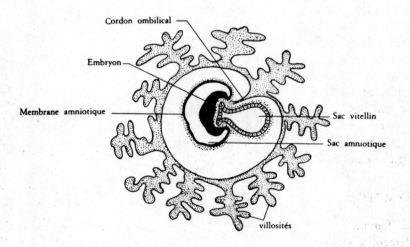

Figure 9: Début du développement de l'embryon

les vaisseaux de la mère, mais seulement contact intime. C'est au niveau du placenta que s'opèrent par osmose les échanges de matières entre le foetus et la mère, dans le sens le plus large, c'est-à-dire non seulement les échanges gazeux, mais encore les échanges des autres matériaux nutritifs dissous dans le sang. Le placenta remplit donc les fonctions assurées chez l'adulte par le poumon et le tube digestif, et ce mode spécial de nutrition correspond évidemment à un régime circulatoire approprié.

Le mécanisme de celui-ci est facile à comprendre, en se souvenant que, chez le foetus, le poumon et l'intestin ne remplissent aucune fonction, et que le placenta les remplace. Le sang oxygéné dans le placenta au contact du sang de la mère revient vers le corps du foetus par la veine ombilicale, située dans le cordon, traverse l'ombilic et se dirige vers le foie, qui joue sans doute déjà un rôle important chez l'embryon, compte tenu de son volume et de son développement précoce.

L'évacuation des déchets se fait selon un processus inverse. Comme la circulation sanguine de l'embryon est reliée à celle de la mère par le cordon ombilical, le gaz carbonique et les autres déchets sont repris par la circulation sanguine de la mère. De là, par la circulation du sang maternel, ils sont entraînés vers les poumons et les reins de la mère qui les élimine de son propre organisme.

C'est de cette manière que s'effectue tout l'échange de la nourriture et des déchets entre la mère et l'embryon. Comme nous l'avons déjà dit, la circulation sanguine de l'embryon et celle de sa mère sont indépendantes l'une de l'autre et n'ont aucune relation directe.

L'embryon est beaucoup plus petit qu'on ne le croit généralement. A la fin de la 5e semaine, il dépasse à peine 8 mm., mais il possède, à ce stade, toutes les caractéristiques qu'aura l'enfant à sa naissance. A la 8e semaine, donc à la fin de la phase embryonnaire, il ne pèse que 1,8 gramme et mesure environ 3,7 cm. Malgré la place minuscule qu'il occupe, il exerce une énorme influence sur sa mère, au point qu'à certains signes manifestes on peut déjà déceler la grossesse.

SYMPTÔMES DE GROSSESSE

La femme qui se croit enceinte en désire la confirmation le plus rapidement possible.

Un des premiers signes probables est *la disparition des règles*. Cet arrêt

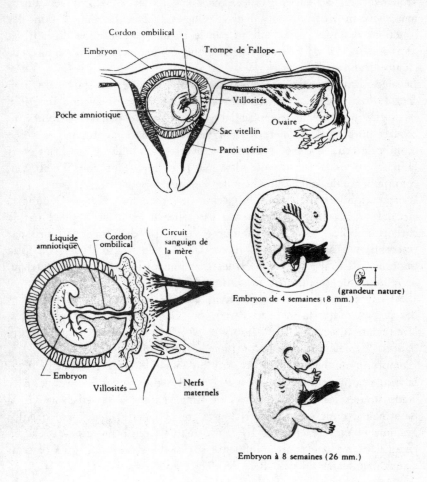

Figure 10: *Développement ultérieur de l'embryon*

ou ce retard peuvent évidemment avoir d'autres causes, notamment des causes physiologiques (anémie ou troubles thyroïdaux) ou des causes émotionnelles, voire organiques. Afin d'éliminer celles-ci la plupart des femmes attendent une ou deux semaines avant d'aller consulter un gynécologue. Pour dire s'il y a, oui ou non, début de grossesse, le médecin se base sur un certain nombre de critères, ou sur la combinaison de plusieurs indices.

L'un des signes probables de la grossesse est le *volume plus grand que prennent les seins.* Avant leurs règles, les femmes ressentent généralement une certaine lourdeur et un gonflement de leurs seins. Lorsque la grossesse a commencé, ce gonflement survient après la période où les règles auraient normalement dû se produire. Deux ou trois semaines plus tard, en pressant légèrement le mamelon, une légère sécrétion apparaît. A la même époque à peu près, le mamelon prend une couleur plus foncée, qui s'étend peu à peu à l'aréole.

Certaines zones du visage se couvrent d'une pigmentation foncée, ou encore on observe une ligne foncée qui part du nombril et se dirige verticalement vers les lèvres. On ignore encore la cause de cette pigmentation.

Une partie de la vessie est contigüe à l'utérus, de·sorte que chaque dilatation, congestion ou développement de l'utérus a ses répercussions sur la vessie. Le fréquent besoin d'uriner et une légère inflammation de la vessie constituent également des signes de grossesse probable.

En examinant les organes sexuels, d'autres symptômes apparaissent. Le col de la matrice devient plus mou et prend une couleur foncée, comme la muqueuse vaginale. L'utérus se dilate légèrement et se ramollit, tandis que s'amincit la partie qui est immédiatement au-dessus du canal cervical. Par toucher vaginal, il est possible de savoir de quel ovaire provient l'oeuf fécondé. Lors de la grossesse, cet ovaire est souvent plus gros que l'autre.

L'un des symptômes classiques de la grossesse — mais qui ne confirme pas absolument celle-ci — est l'apparition des nausées et vomissements matinaux.

Ces symptômes se manifestent habituellement vers la 2e ou la 3e semaine qui suit le moment où auraient dû avoir lieu les règles. Ce signe n'est cependant pas aussi sûr qu'on le croit communément, et il se vérifie seulement pour 40 ou 50 % des femmes gravides. Bien d'autres causes peuvent être à l'origine de ces nausées.

On ignore ce qui provoque exactement les nausées et les vomissements de la grossesse, mais on possède actuellement un éventail de médicaments qui permettent de les faire disparaître rapidement.

Un autre signe probable de début de grossesse est l'élévation notable de la température du corps. La température doit être prise le matin au réveil. La femme normalement réglée a une température légèrement inférieure, dans la première moitié du cycle, et celle-ci s'élève d'environ 1/2 degré après l'ovulation. Lorsque les règles ne surviennent pas et que la température monte pendant et après la période où elles auraient dû avoir lieu, il faut y voir un signe probable de grossesse.

Mais on peut détecter sans risque d'erreur un début de grossesse au moyen de la réaction A-Z (Ascheim et Zondek), ou d'une autre réaction similaire. Ces tests se basent sur le fait que l'urine de la femme enceinte contient des quantités importantes de substances gonado-stimulantes, sécrétées par l'embryon qui se développe. Ascheim et Zondek ont démontré que, si on injecte à des souris ou à des lapines impubères une faible quantité de cette urine, les ovaires de l'animal se développent très rapidement et commencent une ovulation avec mûrissement des follicules et apparition de corps jaune.

Ce test sert donc au diagnostic précoce de la grossesse, car généralement il devient positif dès le 15e jour de la gestation.

Lorsque l'expérience est faite soigneusement, la réaction A-Z donne un résultat exact dans 97 % des cas. Si l'expérience est faite trop tôt après la période qui aurait dû être celle des règles un résultat négatif ne prouve pas absolument qu'il n'y a pas grossesse. Si l'on refait l'expérience une semaine ou 10 jours plus tard, on peut parfaitement obtenir un résultat positif, la concentration d'hormones ayant alors augmenté dans le sang et dans l'urine.

On pratique également ces tests de grossesse par l'ingestion d'hormones. Pendant quatre jours, la femme qui désire se faire tester prend des comprimés de progestérone. Si elle n'est pas enceinte, ce médicament déclenche ses régles. Très simple, ce test ne s'est pas toujours révélé très sûr.

A part le test A-Z, les indices que nous venons de signaler ne sont que des présomptions de grossesse. Mais lorsque 2 ou 3 semaines passent sans que les règles apparaissent, on peut logiquement, sans gros risque d'erreur, en conclure que la femme commence une grossesse.

Récemment, pour diagnostiquer la grossesse, on a mis au point différents tests simples, tous basés sur la présence, dans le sang et l'urine de la femme enceinte, d'hormones gonadotrophiques choriales (H.G.C.). Ces tests peuvent se faire directement chez le gynécologue et sans le concours d'animaux de laboratoire. Il suffit d'ajouter une goutte d'urine à une solution spéciale: lorsque la femme n'est pas enceinte, une pré-cipitation se produit au contact des deux liquides. Si elle est enceinte, la précipitation ne se produit pas. Suivant le test pratiqué, l'examen peut être effectué entre le 4e et le 14e jour après la date qui aurait dû être celle des règles. Le résultat de ces tests peut être donné dans un délai qui va de trois minutes à deux heures. Ces tests se révèlent exacts à 96 %, suivant le temps écoulé entre les règles négatives et le moment où ce contrôle est fait.

VISITE CHEZ LE GYNÉCOLOGUE

Tous les problèmes de la grossesse relèvent du gynécologue, spécialiste en la matière.

Dès que la grossesse semble se confirmer, il faut lui demander une consultation: il expliquera à la future mère les phénomènes qui se passent en elle, lui dira comment sa santé et son activité influeront sur la croissance et le développement de l'enfant, et la conseillera utile-ment pour que cette grossesse se passe heureusement pour elle et pour l'enfant. La jeune femme, à la fois heureuse et inquiète en face des évé-nements qui se préparent, ne cherche pas seulement un avis médical autorisé, mais aussi un praticien compétent entre les mains de qui elle se sentira en confiance.

Au cours de cette première visite à son gynécologue, des liens de con-fiance se créent entre le médecin et la future mère, et ce climat régnera pendant toute la grossesse.

Le gynécologue fait remarquer à la jeune femme que la grossesse est la manifestation la plus haute de sa féminité, qu'elle remplit ainsi sa fonction physiologique naturelle et qu'il l'épaulera, en tant que mé-decin, pour que tout se passe bien. Le gynécologue demandera à sa consultante la date de ses dernières règles, qu'il lui faut connaître pour déterminer le terme de la grossesse.

Il lui demandera aussi à quel âge elle a été réglée, de quelle durée sont ses menstrues, si elle perd beaucoup ou peu, si ses règles sont doulou-reuses ou non. Il calculera avec la future mère la date probable de la naissance, en additionnant 7 jours au premier jour des dernières règles normales, et en décalant la date de 3 mois.

Par exemple, le premier jour des dernières règles était un *1er mars*, l'enfant est donc attendu pour le *8 décembre* de l'année en cours.

Si sa consultante a déjà des enfants, il lui demandera des détails sur leurs naissances, avec le description des circonstances qui les ont caractérisées (fréquence des contractions, durée du travail, etc.).

Examen médical

Lorsque le gynécologue a établi un rapport médical complet, sur la future mère, il lui est plus facile d'évaluer ses qualités morales et physiques, et il pourra en déduire quelle sera son attitude pendant cette grossesse et au moment de l'accouchement.

Ce questionnaire est suivi d'un examen médical complet (qui porte spécialement sur le coeur, les reins et les poumons); il permettra de comparer l'état de santé de la femme enceinte aux divers stades de sa grossesse. S'il détectait un foyer d'infection (une inflammation dentaire ou des sinus, par exemple), il prendrait immédiatement toutes mesures pour protéger, durant la grossesse, la santé de l'enfant et de la mère. Le gynécologue examine le vagin, le col de la matrice et détermine la position, la grosseur et l'état général de l'utérus. Il met en garde la jeune femme contre les injections vaginales (il en prescrira lui-même, s'il le juge nécessaire) qui peuvent irriter le col de la matrice et troubler la grossesse. Il évalue la structure externe et interne du bassin, dont la taille et la forme sont primordiales pour l'accouchement. Si la structure du bassin est tout à fait normale, le médecin en informe sa consultante en ajoutant qu'elle aura sans doute un accouchement facile.

Le gynécologue pose encore à la future mère quelques questions professionnelles et lui expose ensuite les règles qu'elle doit aussitôt observer.

Contrôle du poids et régime alimentaire

La consultante note ce qui a trait à son régime alimentaire et au contrôle de son poids.

Son gain de poids, pendant la durée de la grossesse, ne doit pas excéder de 13 à 18 livres, à raison de 1 ½ à 2 livres par mois. Il est toujours regrettable de voir une jeune femme svelte et bien faite perdre sa ligne parce qu'elle n'a pas suffisamment surveillé son poids pendant une grossesse. Elle s'imagine que cet excédent de poids disparaîtra après l'accouchement, mais c'est faux: elle perdra, au total, 15 livres environ, y compris le poids de l'enfant, celui de la poche des eaux, du placenta et du cordon ombilical; l'utérus et les organes pelviens reprendront graduellement leur forme.

Un sévère contrôle du poids permettra d'éviter des complications au cours de la grossesse. De toute manière les besoins de l'enfant qui se développe représentent une charge supplémentaire pour les reins, le coeur, le foie et la circulation sanguine de la mère. Une trop grosse augmentation du poids se traduit par un surmenage de ces organes.

Généralement les femmes comprennent très bien ce problème et font d'héroïques efforts pour ne pas trop grossir. Mais il arrive que la femme gravide soit prise de véritables « fringales », d'origine émotionnelle, qu'elle cherche à satisfaire en mangeant. Cette réaction fait fi de toutes les prescriptions médicales. Parfois la femme enceinte fait table rase de tous les restes, ou se relève la nuit pour de petits repas, comme si elle cherchait à tester la patience et la bonne volonté de son mari! Si le gynécologue constate un excès de poids dû à une alimentation trop abondante, le mari et le médecin uniront leurs efforts pour découvrir la cause de ces fringales et trouver comment y remédier.

Si, durant sa grossesse, la mère ne mange pas à sa faim, l'enfant n'en souffrira en rien, à condition, bien entendu, que son alimentation contienne les principes vitaux qui lui sont indispensables. N'oublions pas, à ce propos, qu'une femme atteinte de boulimie n'aura pas nécessairement un régime bien équilibré.

Généralement on conseille à la future mère de ne rien changer à ses habitudes alimentaires, mais d'éviter les desserts. Quant à savoir si elle doit boire du lait et en quelle quantité, les gynécologues sont d'avis partagés: si le lait est un aliment complet, celle qui en boit trop voit son poids augmenter rapidement.

On recommande à la jeune femme de prendre chaque jour une capsule ou deux de vitamines et d'acides aminés, et on lui conseille de continuer ce traitement deux ou trois mois après la naissance, surtout si elle nourrit l'enfant.

La grossesse altère souvent le processus normal de la digestion, qui est en étroite liaison avec l'alimentation. Pendant cette période, beau-

coup de femmes doivent recourir à des laxatifs doux; on recommande
de ne pas faire usage de lavements, à moins de circonstances spéciales,
car ils pourraient avoir des répercussions sur l'utérus.

L'allaitement

Lors de sa première visite chez le gynécologue, celui-ci demande à la
future mère si elle envisage de nourrir son enfant. Certaines femmes
tiennent beaucoup à allaiter elles-mêmes leur bébé, d'autres hésitent
et disent qu'elles se décideront le moment venu. Pour différentes raison, qui peuvent être physiques ou psychologiques, rares sont les femmes qui semblent éprouver un sentiment de répulsion à l'idée d'allaiter.
Le gynécologue recommande toujours à sa consultante d'essayer d'allaiter son enfant, car elle en retirera une grande joie physique et psychique; et, ne l'oublions pas, *le lait maternel est, pour le nouveau-né, la
meilleure nourriture.*
A l'idée que leur poitrine en restera déformée certaines femmes refusent d'allaiter. On sait que les seins prennent du volume pendant la
grossesse et que la montée du lait s'y fait après la naissance.
Même si l'enfant n'est pas nourri au sein, le gonflement de la poitrine
et la congestion qui s'y produit jusqu'à ce que la lactation soit supprimée (généralement avec des médicaments à base d'hormones) altè-
rent tout autant la forme des seins que l'allaitement du nourrisson.
Il serait sans doute bon que le gynécologue expliquât aussi à la future
mère les transformations physiques qui pour elle vont résulter de la
naissance de l'enfant. On parle toujours de femmes qui ont eu plusieurs
enfants mais qui gardent leur ligne juvénile et leur sveltesse: ce sont
d'heureuses exceptions, dit-on! Cependant, comme les autres, elles paient
le prix biologique de la maternité.
La femme qui suit scrupuleusement les conseils de son médecin peut
éviter que la maternité n'entraîne pour elle de grands changements
physiques. Elle ne doit pas oublier qu'en mettant un enfant au monde
elle remplit la plus belle des missions dévolues à son sexe et saura écarter toute préoccupation oiseuse.

Les vêtements

Pendant la grossesse, afin de ne pas entraver la circulation du sang, il faut adopter des vêtements amples et s'en tenir aux souliers bas, qui donnent une meilleure stabilité. Pour se faire une bonne musculature dorsale et abdominale, qui suffira à porter l'enfant, il ne faut porter ni corset ni ceinture (à moins de recommandations contraires du médecin). Les muscles s'entraînent ainsi au travail qu'ils devront fournir lors de l'accouchement. La jeune femme se contentera donc pour attacher ses bas d'un porte-jaretelles élastique.

Le sommeil

La grossesse entraîne de tels changements physiques que la jeune femme peut en ressentir une fatigue inhabituelle. Les médecins recommandent de la compenser par de longues nuits de sommeil, par une sieste pendant la journée et par de brefs moments de repos de temps à autre. La femme que cet impératif impatiente risquerait d'en faire souffrir l'enfant et d'en pâtir elle-même, si elle ne s'y pliait pas.

Lorsque la mère est surchargée de besognes, elle est trop fatiguée pour envisager avec joie une grossesse et la vie familiale s'en ressent.

Relations sexuelles

Lors de sa première visite chez le gynécologue, la consultante pose presque toujours la question des relations sexuelles durant la grossesse. Les rapports conjugaux peuvent être poursuivis — mais avec précaution — pendant les premieères phases de la grossesse. Il faut redoubler de prudence au moment où les règles auraient dû se produire et si la future mère remarque, après les rapports, un léger écoulement, un saignement ou ressent des douleurs ou des crampes, elle doit absolument s'abstenir de relations sexuelles avant d'avoir consulté son médecin.

Plus la grossesse avance, plus il faut prendre de précautions et plus les relations doivent s'espacer. Elles doivent cesser complètement 6 semaines avant l'époque prévue pour l'accouchement. Le col de la matrice est alors très mince, gorgé de sang et souvent irritable, de même que les lèvres et la muqueuse vaginale.

Non seulement les relations sexuelles risqueraient d'endommager ces tissus, mais elles pourraient déclencher prématurément les contractions de l'accouchement. Une abstention complète est donc préférable. De toute manière, les femmes dont la grossesse est avancée n'éprouvent

aucun plaisir à l'acte sexuel. L'homme de son côté éprouve moins
d'attirance pour sa femme, déformée par la grossesse. Mais si durant
cette période l'un des conjoints conserve ses appétits sexuels il convient
d'en parler ouvertement avec le gynécologue, qui avisera.
Généralement les relations sexuelles normales reprennent 6 semaines
après la naissance de l'enfant.
Les voyages ne sont pas interdits, surtout en début de grossesse, mais
il faut éviter de les faire au moment où les règles auraient dû survenir.
A ce moment-là, si un voyage s'impose absolument, il faut le diviser en
petites étapes, surtout si l'on circule en automobile. Des voyages longs
et fatigants, où le corps est très secoué, peuvent provoquer une
fausse-couche.
Pour les longs trajets, on préférera l'avion, plus rapide, qui réduira la
durée du voyage. Mais on déconseille aussi les longs vols aériens à
haute altitude: malgré les cabines modernes pressurisées, l'enfant en
gestation ne reçoit pas suffisamment d'oxygène. Tant qu'on ne sait
pas exactement quelle influence l'altitude peut avoir sur la grossesse,
il ne faut jamais imposer à la future mère plus de 6 heures de vol
d'affilée.

De la mesure en toutes choses

Mesure et modération sont les règles d'or de la grossesse, qu'il s'agisse
de fumer, de boire, de danser ou de prendre de l'exercice.
Une autre question se pose souvent: jusqu'à quand une femme enceinte
peut-elle poursuivre son travail professionel? Tout dépend de la forme
du travail: s'il s'agit d'une activité de bureau ou d'enseignement, la
jeune femme peut l'assumer jusqu'au 6e ou 7e mois. Mais chaque cas
est différent des autres et il faut donc l'examiner attentivement, suivant
la nature du travail, la fatigue physique ou la tension émotionnelle qu'il
provoque.

Frais médicaux

Au cours de la première visite chez le gynécologue, il faut lui poser
la question des frais médicaux; il est important d'en connaître le
montant approximatif.
Généralement le gynécologue applique un tarif forfaitaire qui englobe
les visites et les contrôles mensuels, les frais d'analyses et les frais

d'accouchement. Suivant l'état de santé de la future mère, les consultations ont lieu tous les mois, jusqu'au 7e ou 8e mois, puis tous les 15 jours, voire même toutes les semaines, à la fin de la grossesse.

On traite aussi des dispositions à prendre avec l'hôpital, la clinique ou la maternité de son choix, des frais de salle d'accouchement, de séjour, etc. Le gynécologue demande à sa consultante quelle est sa situation financière, si elle a des assurances, et essaie de tout organiser au mieux pour que ces frais ne constituent pas pour elle une trop lourde charge. Il la prie de lui parler très franchement, pour qu'ils trouvent de conserve un arrangement satisfaisant. Aucun malentendu, aucune discussion ultérieure ne peuvent ainsi se produire.

Signaux d'alarme

Au cours de ce premier entretien, le gynécologue explique à la future mère quels sont les signes avant-coureurs d'une menace de fausse-couche, par exemple: vomissements, crampes de la matrice, hémorragie (perte de sang) ou violentes douleurs dans le dos ou les reins, et comment elle devrait réagir si ce danger survenait. Certaines femmes ont des pertes pendant la grossesse, notamment aux périodes où elles auraient dû avoir leurs règles. D'autres continuent à avoir leurs règles, mais ces exceptions sont fort rares.

Les pertes ont souvent d'autres causes. Lorsque le col de la matrice est irrité, il saigne facilement, surtout après les rapports sexuels. Une implantation basse du placenta pourrait aussi en être la cause.

De toute manière, dès qu'apparaissent un saignement ou des contractions de la matrice, il faut immédiatement téléphoner au médecin et garder le lit. La plupart des causes de saignements se soignent avec de simples mesures conservatrices, mais la jeune femme doit éviter tous rapports conjugaux pendant une ou deux semaines et aux périodes où elle aurait dû avoir ses règles, ne pas se livrer à des besognes fatigantes.

Au cours du même entretien, le médecin attire l'attention de sa cliente sur l'influence que sa santé aura sur celle de son enfant et lui dit également que son rôle ne sera pas terminé à la naissance, puisqu'elle devra encore nourrir son petit. Le gynécologue indique les effets nocifs que certaines maladies infectieuses pourraient avoir sur le développement de l'enfant, comme d'ailleurs l'absorption de certains médicaments. Il lui conseille d'éviter tout contact avec des malades et de faire soigner immédiatement les maux qu'elle pourrait contracter, fût-ce une simple infection dentaire.

Préparation à l'accouchement

A la fin de cette première visite, le praticien indique à la jeune mère certains ouvrages qu'elle devrait lire, qui traitent de la santé de la mère et des soins à donner à l'enfant. Ces livres permettront d'étudier plus à fond les différents sujets abordés au cours de cette visite; ils sont si variés qu'il est bon de les revoir tranquillement, et la jeune femme fera bien d'en lire certains chapitres à son mari, à moins que celui-ci ne préfère accompagner sa femme à la seconde visite qu'elle fera chez son gynécologue. Le mari et le gynécologue pourront ainsi coopérer utilement. Certains problèmes sont susceptibles de tracasser le mari, il peut se poser des questions auxquelles sa femme ne sait pas répondre, ses lectures ne l'ont pas toujours suffisamment éclairé. En collaborant ainsi avec l'accoucheur, le mari a le sentiment d'être utile et de n'être pas seulement un comparse dans la grande aventure qui commence. Nous recommandons beaucoup à toutes les futures mères de suivre des cours d'accouchement sans douleur et de puériculture. Beaucoup d'hôpitaux et de maternités donnent ces cours, de plus en plus répandus. Cette méthode prépare psychologiquement la jeune femme, à qui les phénomènes de la grossesse et de la naissance deviennent familiers, et dissipe sa crainte devant les maux de l'accouchement. La gymnastique qu'on lui fait faire développe toute la musculature qui devra travailler au moment de l'accouchement, et elle apprend à pratiquer une respiration qui oxygène davantage le cerveau et supprime une bonne partie des douleurs lors des contractions. Il serait bon que le mari suivît aussi ces cours, du moins au début, pour mieux comprendre son rôle et participer davantage à l'expérience que sa femme va faire. Les liens entre eux se resserreront de ce fait davantage et la jeune femme en éprouvera un sentiment de sécurité qui lui sera précieux.

Le gynécologue conseille également à sa consultante de lui parler à coeur ouvert de ce qui pourrait la tracasser ou la troubler. Elle sait que tous les arrangements sont pris avec l'hôpital ou avec la maternité de son choix, qu'en cas d'urgence, elle pourrait s'y rendre directement et qu'elle y recevrait les soins nécessaires en attendant l'arrivée du médecin.

Son gynécologue lui recommandera de faire une petite liste des questions qui lui viennent à l'esprit entre les consultations, et de la lui remettre à sa prochaine visite.

Ce premier contact entre la future mère et le gynécologue qu'elle a choisi est de la plus haute importance, surtout si elle attend son premier enfant. C'est d'ailleurs la raison pour laquelle le praticien y consacre beaucoup de temps. Il ne faut jamais que cette consultation se fasse à la hâte. La femme qui a déja eu des entants oublie souvent certains points importants et apprécie vivement la compétence et la patience de son accoucheur. Il est bien petit l'enfant que la jeune femme porte dans son sein, mais le moment viendra très vite où cette vie qui s'éveille réclamera une attention de tous les instants, où ce nouvel être aura ses exigences.

LE FOETUS

Dès la 28e semaine (7e mois) de la gestation l'embryon passe au stade de foetus. Cette transformation n'a évidemment rien d'abrupte. Elle se caractérise surtout par l'augmentation de la taille de l'enfant et par le modelage de détails structuraux.

LE PLACENTA

Dès la première partie du 4e mois qui suit la conception, la muqueuse utérine où sont fixées les villosités prend le nom de *placenta*. Le placenta continue à assurer les fonctions des villosités; par lui se fait la nutrition entre la mère et le foetus, et l'acheminement des déchets entre le foetus et la mère. Les substances nutritives du sang maternel sont, *par osmose*, conduites dans la circulation placentaire et conduites au foetus à travers le cordon ombilical. On peut comparer schématiquement le placenta à une très grosse passoire qui ne laisse passer que les liquides, les sels et la plupart des protéines et — malheureusement — certains virus. Il s'oppose aux corps plus gros, tels que les globules sanguins, et à la plupart des bactéries.

Le placenta fournit également la plupart des hormones nécessaires au déroulement normal de la grossesse.

La partie du chorion (la plus extérieure des membranes de l'oeuf) où, comme nous l'avons déjà dit, les villosités ont disparu, forme avec le

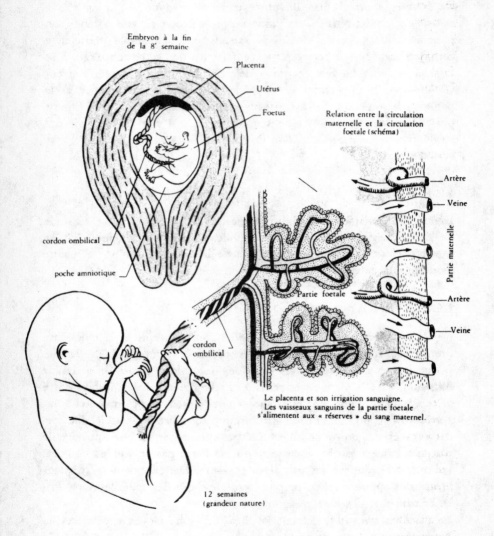

Embryon à la fin
de la 8ᵉ semaine

Placenta

Utérus

Foetus

Relation entre la circulation
maternelle et la circulation
foetale (schéma)

Artère

Veine

cordon ombilical

poche amniotique

Partie maternelle

Partie foetale

Artère

Veine

cordon
ombilical

Le placenta et son irrigation sanguigne.
Les vaisseaux sanguins de la partie foetale
s'alimentent aux « réserves » du sang maternel.

12 semaines
(grandeur nature)

Figure 11: Développement du foetus

placenta la paroi extérieure de la membrane dans laquelle le foetus se développe. Ce sac est rempli de liquide et sa souplesse permet au foetus de bouger librement. Ce liquide protège le foetus des chutes ou des coups, voire des pressions qui comprimeraient le bas-ventre de la mère.

CORDON OMBILICAL ET POCHE AMNIOTIQUE

Pendant que se développent le placenta et le chorion, deux autres organes secondaires importants croissent également: le *cordon ombilical*, qui sert de lien entre le foetus et la placenta, et la *poche amniotique* (ou poche des eaux) qui recouvre la partie intérieure du chorion et le placenta.

Le cordon ombilical ressemble à un long nombril mince. Au bout de 3 mois, il mesure environ 5 cm., et 50 cm. environ à la naissance.

Il est très extensible et dans sa longueur se tord en forme de spirale autour des vaisseaux sanguins qui le traversent.

La *poche amniotique* (ou poche des eaux) est remplie de liquide — environ 1 litre à la naissance — où baigne complètement le foetus, sauf au point d'attache (nombril) du cordon ombilical.

SIGNES VISIBLES DE GROSSESSE

Au cours du 4e mois, la croissance du foetus dilate davantage l'utérus, ce qui fait saillir le bas-ventre de la mère. Ce faisant, l'utérus sort du bassin proprement dit et remonte dans la cavité abdominale. Dans cette nouvelle position, on peut nettement le sentir avec les doigts. La future mère y voit le signe rassurant que tout évolue normalement.

Quelques semaines passent encore et la jeune femme a l'impression d'héberger des bulles d'air dans l'abdomen, d'abord à intervalles espacés, puis plus fréquemment. Ce ne sont là que les premiers mouvements de l'enfant; ils causent à la mère beaucoup de joyeuse émotion quand elle prend conscience de cette vie qui s'éveille. Ces mouvements la rassurent; elle se dit que son bébé grandit et se développe normalement. Les liens qui unissent la mère et l'enfant deviennent plus étroits et plus tendres. Quelques semaines plus tard les légers battements du coeur du foetus deviennent perceptibles.

Ces deux signes de vie se manifestent avec une force et une activité

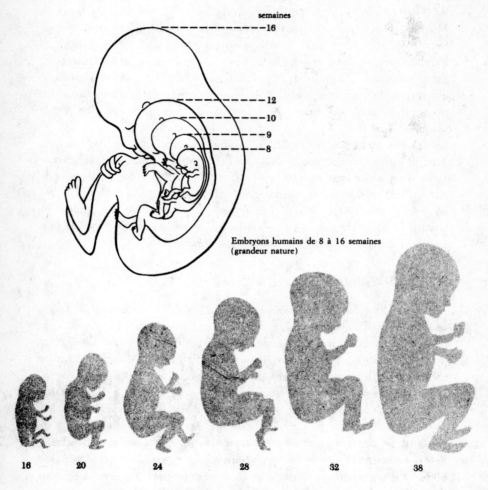

semaines

16

12

10

9

8

Embryons humains de 8 à 16 semaines
(grandeur nature)

16   20   24   28   32   38

Accroissement de taille - de 16 à 38 semaines

Figure 12: Développement du foetus

de plus en plus grandes; finalement, les mouvements de l'enfant se perçoivent à la surface de l'abdomen.

Ces signes de vie de leur bébé enchantent toutes les mères, même s'il se démène au point de les réveiller au beau milieu de la nuit!

Dès que les battements du coeur foetal deviennent parfaitement audibles dans son stéthoscope, le gynécologue les fait entendre à la mère. Dès qu'elle a les écouteurs aux oreilles, son visage reflète une intense concentration: elle secoue la tête... non, elle n'entend rien! Mais il lui

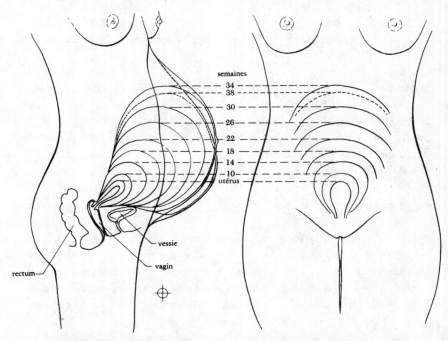

Figure 13: Croissance de l'utérus et de l'abdomen entre la 10e et la 38e semaine

suffit de persévérer pour distinguer, en dehors des bruits étrangers à l'enfant, le coeur du foetus qui bat doucement en arrière-fond. Son visage s'illumine d'un sourire joyeux, plein de bonheur, et toute trace de souci disparaît. Le rythme rapide du coeur foetal la surprend. Le médecin la rassure en lui expliquant que le rythme normal des battements est, à ce stade, de 140 à 160 à la minute, soit le double du rythme d'un coeur humain adulte.

Dès le début de la période foetale, la silhouette de la femme s'alourdit, témoignant qu'elle est enceinte. Comme nous l'avons dit, dès le 5e mois son abdomen fait saillie, son ventre s'arrondit, ses seins grossissent et son poids augmente. Il est temps pour elle de lire les ouvrages qu'on lui a conseillés, de suivre les cours d'accouchement sans douleur et les cours de puériculture, afin de se préparer à l'accouchement physiologiquement et psychologiquement.

Ce moment de la grossesse est le moins pénible pour la future mère: il arrive néanmoins qu'elle souffre un peu des jambes, qu'elle doive lutter contre la constipation ou contre une impression de fatigue, mais un bon régime, du repos et éventuellement quelques médicaments en viendront facilement à bout.

Les visites chez le gynécologue sont devenues, à ce stade, une affaire de routine. Le médecin vérifiera la pression sanguine de la future mère, son poids, déterminera la position de l'utérus et fera une analyse d'urine. Il examinera également les extrémités, pour voir si une enflure s'y produit, et demandera à la jeune femme si elle a des problèmes de digestion, si elle souffre de maux de tête, si elle a mal au dos, si elle a remarqué un peu d'écoulement vaginal.

FAUSSE-COUCHE

Arrivée à ce stade, la femme enceinte n'a plus la crainte de perdre son enfant; elle s'est habituée à son état, sa grossesse qui se déroule normalement assure sa confiance en l'heureuse issue des événements, et elle commence à se réjouir de la naissance de son bébé. Malheureusement c'est précisément à ce moment-là que surviennent certaines interruptions de grossesse.

On connait différentes causes de fausses-couches, mais souvent il est impossible de déterminer exactement celle qui a pu la provoquer. L'avortement qui survient lorsque l'enfant donne les premiers signes de vie et que sa mère s'en réjouit constitue une cruelle déception pour elle et pour son entourage. Il ne faut donc pas s'étonner qu'après une fausse-couche la jeune femme fasse de la dépression ou un peu de neurasthénie. L'assurance que sa prochaine grossesse se déroulera normalement est la meilleure consolation qu'on puisse lui donner. Lorsque rien ne s'oppose à ce qu'elle attende un nouvel enfant, le gynécologue devrait toujours insister sur ce point.

INQUIÉTUDE DEVANT DES COMPLICATIONS POSSIBLES

Dès que la silhouette de la jeune femme la trahit et indique clairement qu'elle est enceinte, les remarques de l'entourage fusent, pertinentes ou non. Certaines gens éprouvent une joie sadique à faire naître l'inquiétude dans le coeur de la future mère. On lui raconte des histoires à dormir debout, en précisant bien sûr que tout cela n'a rien à voir avec son cas, et les commères ne cessent d'évoquer tous les enfants malformés qui sont nés dans leur voisinage ou dans leur parenté. Elles s'étendent complaisamment sur toutes les complications survenues inopinément à la naissance, sur les opérations d'urgence qui durent être pratiquées. Elles rappellent le souvenir d'amies mortes en couches... Ces cas sont rarissimes, on le sait, mais qu'il s'en soit produit suffit à donner à ces histoires un cachet d'authenticité!

Sensibilisée par son état, la femme enceinte se laisse troubler par ces récits de bonne femme, et il faut absolument lui redonner confiance. Elle doit pouvoir parler ouvertement de ses craintes, on doit lui dire que toutes les femmes dans son état les connaissent. Il faut qu'elle comprenne qu'il n'est ni ridicule ni enfantin d'en parler: les histoires de « monstres » qu'on lui a racontées relèvent de la plus grande fantaisie. L'immense majorité des naissances surviennent sans la moindre complication, avec des enfants parfaitement conformés et de santé parfaite.

Généralement l'embryon qui présente une malformation au cours de sa croissance est expulsé de la matrice par une fausse-couche. C'est la loi de la nature, qui supprime tout être qui n'est pas parfaitement adapté à la lutte pour la vie.

La naissance constitue donc un véritable certificat de bonne conformation, délivré par la nature, et prouve que l'être qui vient au monde est apte à faire face à son destin.

Dans le domaine de l'obstétrique, on a fait d'immenses progrès qui permettent d'éviter toute complication grave. Actuellement la mère qui meurt en couches est un cas d'une extrême rareté.

La femme enceinte doit connaître tous les facteurs qui peuvent influer sur l'enfant à naître, et le rôle qu'elle est appelée à jouer dans ces événements.

INFLUENCES PHYSIQUES SUR LE DÉVELOPPEMENT DE L'ENFANT

Un grand nombre des caractères distinctifs de l'enfant sont fixés héréditairement dès la conception et sans modification possible. Il n'y a pas, nous le savons, de liaison *directe* entre les systèmes nerveux et sanguins de la mère et de l'enfant; aussi les histoires d'enfants malformés à la suite d'un choc émotionnel de la mère ou de rencontres qu'elle a faites sont-elles pure affabulation. Les taches de naissance proviennent d'un développement localement anormal de la peau de l'enfant et n'ont rien à voir avec l'état mental ou émotionnel de la mère.

Celle-ci, cependant, doit être consciente du rôle important qu'elle joue comme protectrice et nourrice de son enfant, et doit savoir qu'une mauvaise alimentation ou une carence en vitamines peut nuire au bébé. Elle ne doit rien négliger pour rester en parfaite santé et pendant sa grossesse elle évitera de fumer et de boire. La nicotine et l'alcool — comme d'autres drogues ou narcotiques — ont des effets nocifs sur l'enfant. Les enfants trop petits à leur naissance ou les enfants prématurés peuvent avoir une mère qui a trop fumé.

Certaines bactéries, certains virus, notamment ceux de la rubéole, du typhus, de l'influenza, de la diphtérie et de la syphilis sont susceptibles d'exercer une action destructrice sur l'organisme de l'embryon ou du foetus. On sait depuis longtemps que lorsque la mère contracte la rubéole pendant les trois premiers mois de sa grossesse, la vue et l'ouïe de l'enfant à naître sont atteintes. On pense depuis peu que certaines malformations interviennent également aux premiers stades du développement et que les anomalies que présente l'embryon sont dues, plus fréquemment qu'on ne le pense, à l'effet toxique des infections (ou des médicaments) que la mère transmet à l'enfant. Mais comme on ignore le moment précis où l'empoisonnement s'est produit, il est pratiquement impossible de prévoir les conséquences tardives qui peuvent en découler. Les médecins estiment actuellement que bien des maladies qui restent bénignes pour la mère risquent d'avoir sur le foetus les mêmes conséquences qu'un véritable empoisonnement. Nous pensons ici aux bactéries et virus des maladies infectieuses par refroidissement, maux d'intestins et de reins et autres maladies semblables. Si la femme enceinte contractait une de ces maladies, malgré les précautions prises pour éviter la contagion, il faudrait immédiatement lui faire suivre un traitement curatif.

Autrefois, se basant sur le fait que des nourrissons venaient au monde syphilitiques, on estimait que les maladies infectieuses étaient héréditaires. En réalité ni le spermatozoïde ni l'ovule ne peuvent transmettre de maladies infectieuses. Lorsque le nourrisson naît malade, il faut en conclure que sa mère a été infectée avant ou pendant sa grossesse, ce qui a permis à la maladie de franchir la barrière du placenta et d'infecter le foetus. Lorsqu'on arrive à guérir la mère, le foetus est guéri du même coup. Si on la traite dès le début de la grossesse, l'enfant peut naître parfaitement sain, sans trace aucune de maladie.

Il est très important de savoir si la maladie de l'enfant a été contractée dans l'utérus ou si elle est héréditaire. Si une maladie telle que la syphilis est soignée à ses débuts et si la guérison intervient, l'enfant naîtra en parfaite santé, même si ses parents ont été violemment contaminés. Plus tard, lorsque ces enfants se marieront à leur tour et auront des enfants, ils n'auront rien à craindre, ils ne transmettront pas la maladie à leurs descendants.

Dans le cas de maladies héréditaires, soignées ou non, il en va tout autrement, que le sujet soit sain ou non au moment où il se marie; le risque subsiste de transmettre la maladie par les gènes. Des malformations de la main (par exemple main à 6 doigts), une tendance au diabète, aux allergies, peuvent reparaître après une ou plusieurs générations, en sautant parfois une génération.

FACTEUR RHÉSUS

Losque l'analyse du sang révèle que la mère est Rhésus négative, ce problème doit être abordé avec elle.

Le facteur Rhésus (Rh) a fait ces dernières années l'objet de recherches approfondies et on lui a fait une large publicité, car il est souvent à l'origine des fausses-couches spontanées, ou provoque des troubles tels que la paralysie cérébrale, les retards mentaux ou l'idiotie.

Le facteur Rh représente le symbole d'une protéine héréditaire trouvée dans les globules rouges du sang humain. Il tire son nom du singe rhésus, dans le sang duquel il y a été découvert en 1940. 85 % des humains portent dans leur sang le facteur Rhésus, et on les appelle Rhésus positifs. 15 % des humains sont dépourvus de facteur Rhésus, et on les appelle Rhésus négatifs. Cette répartition est valable pour toute la race blanche.

Dans d'autres races, le pourcentage de Rhésus positifs est plus élevé encore et s'élève à 93 % chez les Noirs et à 99 % chez les Chinois.

Au cours de la première visite de la jeune femme à son gynécologue, on lui fait une prise de sang et si l'analyse révèle qu'elle est Rhésus négative, on prélève du sang du père. Le facteur Rh n'a aucune incidence sur la qualité du sang, mais certaines combinaisons de facteurs Rh peuvent provoquer des troubles ou des complications mortelles pour l'embryon.

La vulgarisation faite autour du facteur Rhésus a fait naître beaucoup d'inquiétudes inutiles. Quand le père et la mère sont tous deux Rh positifs ou Rh négatifs, aucun problème ne se pose. Il y a un tout petit risque à courir si la mère est Rh positive et le père Rh négatif. Des difficultés peuvent surgir si la mère est Rh négative et le père Rh positif. Si l'enfant hérite le Rh négatif de sa mère — ce qui est le cas de la moitié des enfants — tout se passera sans anicroches.

Le père peut être *Rh positif homozygote*, et transmettre donc à ses enfants son Rh positif, soit *Rh positif hétérozygote*, ce qui laisse une chance sur deux à l'enfant d'être Rh négatif. Des tests spéciaux permettent de déterminer exactement à quel groupe il se rattache.

Voici comment l'hérédité se transmet:

Le père et la mère apportent chacun un gène pour en faire une paire qui, elle, est responsable d'un certain signe distinctif du nouvel être humain. Le facteur Rhésus domine lorsque l'un des deux gènes est positif, et l'enfant sera donc également Rh positif. Si les deux gènes sont Rh positifs homozygotes, ils ne peuvent donner naissance qu'à des enfants à Rh positif.

En revanche l'homme qui possède des gènes Rh positifs hétérozygotes aura des gènes Rh positifs et d'autres Rh négatifs, tout en ayant un sang à facteur Rh positif. Selon le cas, il transmettra à ses enfants des gènes positifs ou négatifs. Si sa femme est Rh négative, les deux gènes chez elle sont négatifs, avec une chance sur deux que l'enfant soit également Rh négatif.

Le danger surgit uniquement dans les cas où la mère est Rh négative et quand l'enfant hérite de son père un facteur Rh positif. Une défectuosité du placenta peut faire passer le facteur Rh positif du corps du foetus à celui de sa mère. Il déclenche alors un anticorps au facteur

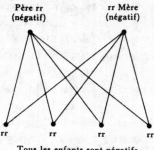

Père rr (négatif)   rr Mère (négatif)

rr   rr   rr   rr

Tous les enfants sont négatifs

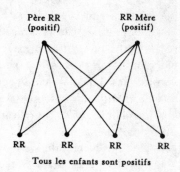

Père RR (positif)   RR Mère (positif)

RR   RR   RR   RR

Tous les enfants sont positifs

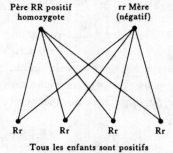

Père Rr positif hétérozygote   Mère Rr positif hétérozygote

RR   Rr   Rr   rr

3 enfants positifs, 1 négatif

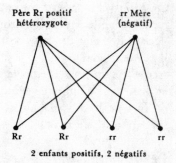

Père RR positif homozygote   Mère Rr positif hétérozygote

RR   Rr   RR   Rr

Tous les enfants sont positifs

Père RR positif homozygote   rr Mère (négatif)

Rr   Rr   Rr   Rr

Tous les enfants sont positifs

Père Rr positif hétérozygote   rr Mère (négatif)

Rr   Rr   rr   rr

2 enfants positifs, 2 négatifs

Figure 14: Transmission du facteur Rhésus

Rhésus. Par le jeu normal de la circulation à travers le placenta, cet anticorps maternel retourne au foetus, dont il dissout les globules rouges.

Pour un premier enfant, si elles surgissent, les difficultés ne sont pas insurmontables, car le sang de la mère ne produit pas suffisamment d'anticorps pour altérer gravement le développement de l'enfant. Mais lorsque la mère se trouve à nouveau enceinte d'un enfant à facteur Rh positif, les difficultés commencent.

La destruction des globules rouges du sang entraîne une anémie grave, ou une jaunisse. Ces complications peuvent être bénignes et le foetus est alors parfaitement guérrisable. Dans les cas graves, la rapide destruction des globules rouges du sang peut entraîner la mort du foetus, longtemps ou peu de temps avant l'accouchement. Dans ces conditions, le gynécologue déconseille une nouvelle grossesse.

Les gynécologues demeurent toujours extrêmement attentifs aux dangers provoqués par le facteur Rhésus. Ils contrôlent régulièrement la concentration d'anticorps dans le sang maternel. Ainsi s'assurent-ils que cette concentration n'augmente pas brusquement, ce qui serait un signe certain de complications. A la naissance, ils contrôlent immédiatement le sang de l'enfant et font même des contrôles ultérieurs qui permettent de déterminer s'il faut faire une transfusion complète pour remplacer le sang du bébé par du sang à facteur Rh négatif. Cette exsanguinotransfusion consiste à prélever le sang de l'enfant pour le remplacer par le sang d'un donneur à facteur Rh négatif qui ne réagit pas aux anticorps. On commence par prélever une petite quantité du sang de l'enfant et on le remplace par la même quantité de sang d'un donneur. On répète cette opération une cinquantaine de fois, et l'exsanguinotransfusion complète dure environ 2 heures. La gravité de cette opération dépend de l'état de santé de l'enfant; même si le danger n'est pas grand, il existe néanmoins.

Actuellement les gynécologues ont à leur disposition de multiples moyens et il est rare qu'un médecin déconseille une grossesse pour une question de facteur Rhésus. D'ailleurs ce problème ne doit jamais empêcher la fondation d'une famille.

LE DERNIER STADE FOETAL

Plus la grossesse avance, plus les troubles se multiplient. Au nombre

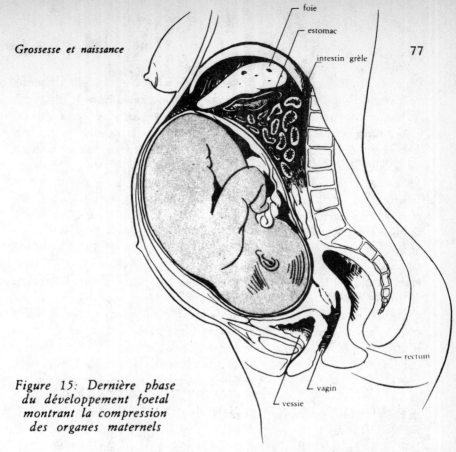

foie

estomac

intestin grèle

rectum

vagin

vessie

*Figure 15: Dernière phase
du développement foetal
montrant la compression
des organes maternels*

de ces troubles, il faut compter les *varices*, car les veines se dilatent
par gonflement des vaisseaux sanguins. Souvent ces ennuis variqueux
s'aggravent à chaque nouvelle grossesse. Ces varices, superficielles ou
profondes, apparaissent le plus souvent sur les jambes et les cuisses et,
plus rarement, sur les lèvres vulvaires et l'anus. Dans les cas graves,
on recommande de porter des bas à varices ou des bandages élastiques
qui peuvent apporter un soulagement. On recommande toujours de
proscrire les ceintures trop serrées et les jarretières de caoutchouc, qui
entravent la circulation du sang et entraînent une dilatation encore plus
marquée des veines. Les troubles variqueux à l'anus provoquent des
hémorroïdes douloureuses, surtout vers la fin de la grossesse. C'est une
des raisons pour lesquelles il faut alors éviter la constipation.
Les trois derniers mois la future mère va voir plus souvent son gynécologue, car l'expérience prouve que c'est souvent à ce moment-là que
des complications peuvent survenir; le spécialiste contrôle soigneusement

l'état de santé de sa cliente, s'inquiète des symptômes qu'elle présente. Aux derniers mois de la grossesse, la matrice s'est tellement distendue qu'elle emplit toute la cavité abdominale jusqu'aux côtes, ce qui comprime fortement les autres organes, l'estomac et le foie en particulier. Les mouvements du foetus sont devenus rapides et fréquents et peuvent provoquer des malaises au niveau de l'abdomen.

La compression de l'estomac provoque parfois des brûlures et des troubles de la digestion, à la suite des perturbations apportées aux mouvements péristaltiques. Au dernier mois, l'utérus a gagné jusqu'aux dernières côtes, comprimant le diaphragme: la mère a le souffle court et quand elle a pris froid arrive mal à expectorer. Deux ou trois semaines avant la naissance, la tête de l'enfant descend dans le bassin, entraînant ainsi le fond de la matrice, de sorte que la cavité abdominale se trouve libérée au niveau de l'estomac. Suivant la forme du bassin, d'une part, la taille et la position de l'enfant, d'autre part, la pression augmente dans le bassin, ce qui provoque une irritation de la vessie, de la constipation et un sentiment de lourdeur dans le bas-ventre. Les femmes qui ont déjà mis au monde 3 enfants ou plus ont parfois l'impression que « tout va lâcher ». La pression qui s'exerce sur les centres nerveux et sur les vaisseaux sanguins du pelvis peut provoquer des douleurs aux jambes ou faire enfler celles-ci, surtout lorsque la future mère reste plusieurs heures debout.

Dès le moment où l'enfant est tourné tête en bas dans le bassin, ses mouvements se calment et deviennent moins perceptibles. Il n'y a là aucune raison de s'inquiéter, tout est parfaitement normal.

Les médecins saisissent cette occasion pour examiner le rapport qu'il y a entre l'indice frontal de l'enfant et la conformation du bassin de sa mère.

La future mère, qui porte un poids supplémentaire, devrait se chausser pour assurer à son corps un bon équilibre et choisir des chaussures à petit talon. En vue de la naissance, l'ossature de ses hanches et de son bassin perd de sa rigidité, tandis que le poids de l'utérus oblige à un effort supplémentaire les muscles abdominaux et dorsaux. Pour compenser le poids de l'abdomen projeté en avant pendant la marche et lorsqu'elle est debout, la jeune femme se tient un peu cambrée, les épaules rejetées en arrière. C'est ce que Shakespeare nomme « la fière démarche de la femme enceinte ».

Si, malgré les exercices de gymnastique qu'on lui a enseignés aux cours d'accouchement sans douleur, la jeune femme souffrait de maux de dos, elle pourrait recourir aux compresses chaudes sur l'endroit douloureux, aux massages et adopter, si possible, un matelas plus dur.

Au cours du dernier mois, la future mère constate souvent une stabilisation de poids, voire une perte de quelques livres.

Au fur et à mesure que le temps passe, la jeune femme s'impatiente et trouve le temps long, car elle se sent lourde et déformée. Aussi salue-t-elle avec joie les premières contractions annonciatrices de l'accouchement. Mais il arrive aussi que sa crainte de souffrir augmente et qu'elle éprouve une vague angoisse à l'idée de mettre au monde l'enfant qu'elle porte.

La naissance survient généralement trente-neuf semaines après la conception. 91 % des naissances ont lieu entre la 36e et la 42e semaine après la conception. 91 % s'accomplissent entre la 31e et la 25e semaine. Le taux de mortalité à la naissance est de 52 % chez les enfants nés avant la 31e semaine qui suit la conception, et il faut relever que les 2/3 des enfants morts-nés ont vu le jour avant la 36e semaine. Les chances de survie des enfants nés prématurément ne dépendent pas uniquement de leur âge foetal; leur poids compte aussi.

On tient compte de cette combinaison « âge-poids » pour prévoir les déficiences de l'enfant prématuré et la manière d'y remédier. Le taux de mortalité le plus bas se situe entre la 36e et la 42 semaine. Il augmente après la 42e semaine.

L'enfant qui va naître pèse environ de 6 à 8 livres, mais les différences en plus ou en moins sont fréquentes. Ses organes sont suffisamment développés pour qu'il puisse vivre sans le support du corps maternel. La transition entre la vie intra-utérine et la vie extérieure représente évidemment un voyage hasardeux, et l'enfant doit s'adapter pour respirer l'oxygène dont il a besoin, digérer la nourriture qu'on lui donne et rejeter ses déchets. Il faut insister toutefois sur le fait que, dès le moment de la conception, l'enfant porte en lui tous les éléments des organes dont il aura besoin pour vivre indépendamment de sa mère. A la naissance, la liaison entre la mère et l'enfant s'interrompt simplement et l'enfant commence sa vie indépendante. Dans son essence, l'être humain au stade intra-utérin ou après sa naissance n'est guère différencié et la mère se rend bien compte que c'est toujours la même vie, qui s'est transformée en elle et qui l'a elle-même transformée, pour grandir et se développer jusqu'à devenir un être indépendant.

Contractions et accouchement

Le travail débute par les contractions et se déroule en trois étapes. Il commence avec les premières contractions, assez espacées, et se termine lorsque le col de l'utérus est suffisamment dilaté pour permettre le passage de l'enfant.

Cette première phase du travail dure de 6 à 18 heures ou davantage pour un premier enfant, de 3 à 10 heures pour les autres.

La seconde phase du travail débute lorsque le col de la matrice est complètement dilaté et se termine à la naissance de l'enfant. Elle dure de 20 minutes à 2 heures ou plus.

La troisième phase se termine avec l'expulsion de l'arrière-faix, constitué par le placenta et des membranes, et dure de 20 à 30 minutes.

PREMIER STADE

Le travail commence par des contractions de l'utérus destinées à dilater le col de la matrice de façon à laisser passer la tête de l'enfant.

On ne sait pas de façon précise comment ce mécanisme se déclenche. Il y a certainement rupture de l'équilibre hormonal dans le sang de la mère, ce qui se traduit par une irritation de l'utérus. Il est possible aussi que la très grande dilatation de l'utérus provoque ces contractions. Dans certains cas, le travail commence à la suite d'un regain d'activité de la mère, ou d'une peur, d'un choc nerveux, etc.

Quand la femme n'est pas enceinte, les muscles de l'utérus (matrice) se contractent lentement, selon un certain rythme, jusqu'à 8 fois et plus par minute. Ces contractions augmentent et deviennent plus rapides lors de l'approche des règles et la plupart des femmes les perçoivent alors. Pendant la grossesse, les contractions légères et rythmiques maintiennent en bon état la musculature de l'utérus. Au cours des 4 à 6 semaines qui précèdent l'accouchement, la mère peut sentir ces contractions, qui lui font croire parfois qu'elle entre dans le premier stade du travail. C'est ce « faux travail », générateur d'émotions, qui envoie trop tôt en maternité ou en clinique de nombreuses futures mères.

Ces contractions signalent l'irritabilité croissante des muscles utérins et se poursuivront jusqu'au début réel du travail; elles sont donc parfaitement normales.

Figure 16:
Foetus à terme

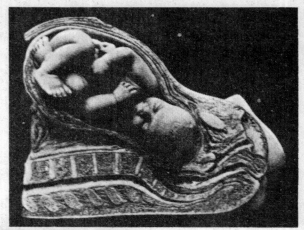

Figure 17:
Premier stade du travail

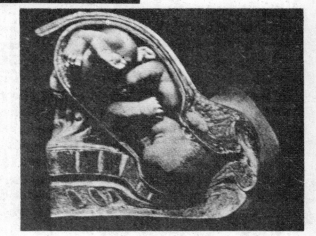

Figure 18:
Deuxième stade
du travail

Trois symptômes indiquent que le travail commence: l'apparition des douleurs spasmodiques qui reviennent à intervalles réguliers et de plus en plus rapprochés, la perte d'une petite quantité de mucosités sanguinolentes, et la rupture de la poche des eaux.

Nature des contractions

Au début du travail, la femme ressent des tiraillements dans le dos et dans le bas de l'abdomen et remarque un durcissement de l'utérus. Dès que la contraction décroît en intensité, l'utérus redevient mou. Au début les contractions se suivent à 15 ou 20 minutes d'intervalle, voire plus, mais elles progressent graduellement en fréquence et en intensité. Elles commencent dans les reins puis s'étendent au bas-ventre, donnant dans le bassin une impression de poussée et de pression. Ces maux musculaires, faibles d'abord, s'intensifient au fur et à mesure que les contractions se rapprochent et durent d'une demi-minute au début à une minute ou plus vers la fin.

Signes avant-coureurs de l'accouchement

Un second signe de l'imminence du travail, que l'on appelle parfois « la signature » de la femme, est la perte d'une petite quantité de mucosités sanguinolentes. Pendant que l'enfant se développe dans le sein de sa mère, le col de l'utérus est lubrifié par un liquide qui sert en même temps à le fermer et empêche les agents infectieux d'entrer dans la cavité utérine.

Au début du travail, et quelquefois même avant les contractions, le col de la matrice se dilate suffisamment pour libérer ce bouchon, qui contient parfois des traces de sang provenant des parois et des membranes du col de la matrice, tout comme les muqueuses du nez présentent parfois des traces de sang. L'éjection de ce bouchon prouve que l'utérus est prêt à commencer son travail dans les 24 heures.

Poche des eaux

Troisième symptôme du début du travail: la rupture de la poche amniotique, ou poche des eaux. Elle se rompt parfois doucement ou partiellement mais, le plus souvent, elle éclate d'un seul coup.

L'enfant a grandi dans cette poche protectrice. A sa rupture les eaux s'écoulent par le vagin.

Si la poche des eaux se rompt avant le début du travail ou tout au début de celui-ci, on dit qu'il se fait « à sec », ce qui prolonge un peu l'accouchement, surtout pour un premier enfant, sans toutefois poser un problème important. Au début du travail, le rôle de la poche amniotique est d'aider à dilater le col de la matrice. Elle n'a ensuite plus aucune utilité, à telle enseigne que certains gynécologues la percent, quand la rupture ne se fait pas spontanément et lorsque le travail dure trop longtemps. Ils laissent alors s'écouler tout ou partie de ce liquide.

A la rupture de la poche des eaux (qui contient aussi bien une tasse qu'un litre de liquide), l'utérus devient un peu plus petit et ses muscles se contractent plus fortement et avec une plus grande fréquence.

Dans la règle, la poche des eaux se rompt au cours de la première ou de la deuxième phase du travail et, dès lors, celui-ci progresse plus rapidement. Si la poche des eaux ne se rompt pas d'elle-même, la tête de l'enfant pousse cette membrane. Il peut ainsi arriver que la membrane de la poche amniotique, comme le ferait un bonnet ou une coiffe, recouvre, à sa naissance, la tête de l'enfant. On dit alors qu'il nait « coiffé », et on y voit un signe de chance pour le nouveau-né. Les matelots, qui sont gens fort superstitieux, prisaient beaucoup cette membrane dont ils faisaient un fétiche qui devait, croyaient-ils, les empêcher de mourir noyés.

Dès que la poche des eaux s'est rompue, la jeune femme doit partir pour la clinique, où elle sera entourée de soins éclairés. Il y a deux raisons importantes à cela:

1) Si la tête de l'enfant n'est pas bien engagée au moment de la rupture de la poche, le cordon ombilical peut devancer le corps de l'enfant qui, en progressant, exerce une pression sur le cordon, interrompant la circulation du sang et mettant ainsi la vie de l'enfant en danger.

2) Pour éviter une infection qui pourrait remonter vers l'utérus et atteindre les restes de la poche qui contenait l'enfant.

Lorsque l'un de ces trois signes avant-coureurs de l'accouchement survient, la jeune femme en avertit son accoucheur et part pour la clinique. Sa valise sera prête à l'avance, pour éviter toute perte de temps, le moment venu.

En général, les futures mères ressentent une certaine anxiété losqu'elles entrent à la maternité ou à la clinique pour leur premier accouchement. Il est bon qu'elles connnaissent d'avance les lieux et on leur conseille d'y faire, quelque temps avant l'accouchement, la connaissance des infirmières, des sages-femmes et des nurses du service d'obstétrique. La jeune femme se sentira ainsi mieux en confiance, entre de bonnes mains, car ceux qui s'occuperont d'elle auront le privilège de l'expérience.

Lors de son admission à la maternité, la jeune femme revêt une chemise de nuit courte, qui ne la gênera pas pendant le travail. On prend sa température et le pouls de l'enfant, qu'on enregistre parfois sur bande magnétique. On s'enquiert du début des contractions et on vérifie leur fréquence.

Pour des raisons d'hygiène, on rase le pubis de la jeune femme, on lui donne un lavement pour vider complètement le gros intestin, ce qui évite tout risque de salissure au moment où l'enfant vient au monde. Au premier stade du travail, le lavement semble avoir un effet stimulant sur les contractions utérines. Ces préparatifs terminés, il ne reste qu'à attendre que la nature fasse son oeuvre.

Au premier stade du travail, les contractions sont légères et suffisamment espacées pour que la parturiente puisse se reposer, lire ou même se promener dans la chambre entre les contractions.

Lorsque le travail est plus avancé, on la conduit à la salle d'accouchement où, dans certaines maternités, les maris sont les bienvenus, car on estime que leur présence réconforte la jeune femme. Le mari qui assiste à l'accouchement est ému et plein de respect devant le merveilleux travail de la naissance.

Quand le travail a commencé, le gynécologue vérifie par toucher rectal ou vaginal la position du col de la matrice et celle de la tête de l'enfant. Au début, le col de la matrice présente une dilatation d'un doigt environ, et de 4 doigts environ vers la fin du travail. La dilatation est alors complète. La tête de l'enfant est descendue dans le bassin et le remplit complètement. C'est ce dernier stade de la dilatation qui est le plus pénible pour la parturiente et son accoucheur lui administre parfois un léger sédatif ou une médication calmante. Il faut éviter d'administrer une trop forte dose de calmants car la future mère, au lieu d'aider activement au travail, deviendrait passive; de plus, si les calmants sont administrés peu avant la naissance, l'enfant en subit le contre-coup et a beaucoup de peine à trouver son souffle.

Habituellement les douleurs changent de nature au début du deuxième stade du travail. Elles se font plus vives, plus longues et plus fréquentes. A chaque nouvelle contraction, la jeune femme ressent une irrépressible envie de pousser, comme si elle devait aller à la selle.

DEUXIÈME STADE

Le deuxième stade du travail est généralement beaucoup plus court que le premier. Il dure, selon les cas, de 1/2 heure à 2 heures. Le diaphragme, le dos et les muscles abdominaux participent aux contractions utérines, pour pousser la tête de l'enfant hors de l'orifice vaginal, où le médecin va le recevoir et l'aider à naître.

Ce moment du travail s'accompagne souvent de maux assez violents. Pour utiliser utilement ses contractions et son envie de pousser, la femme qui met au monde son premier enfant a besoin des conseils de l'accoucheur ou de la sage-femme. Certaines femmes craignent de se mutiler en poussant cette grosse tête de bébé dans un canal jusque là très étroit. Elles n'ont aucune crainte à avoir, car leur accoucheur sait comment éviter les déchirures qui pourraient survenir à l'intestin, à la vessie et à toutes les parties molles du bassin. Le seul souci de la jeune mère doit être, pour hâter la naissance, de pousser à *fond* quand elle en sent le besoin.

Dans la dernière partie du deuxième stade, la tête de l'enfant progresse en direction de l'orifice vaginal et des muscles qui l'entourent. A chaque contraction d'expulsion, la région comprise entre les lèvres et le rectum se dilate et se rétracte tour à tour, tandis que la tête de l'enfant avance un peu à chaque poussée et recule légèrement entre les contractions. A chaque poussée, la tête de l'enfant dilate un peu plus l'orifice vaginal et avance jusqu'à être visible.

La jeune femme s'étend alors sur la table gynécologique, avec les jambes en position obstétricale, ce qui permet au gynécologue d'atteindre plus facilement l'enfant qui va naître.

Si une déchirure menace de se produire, l'accoucheur la prévient par une petite incision (épisiotomie), pratiquée sur la ligne médiane ou médiolatérale du périnée. Faite sous anesthésie locale, elle est indolore. Une incision chirurgicale guérit en effet plus rapidement qu'une déchirure au passage de la tête de l'enfant.

Par de légères tractions, l'accoucheur tire la tête de l'enfant à travers

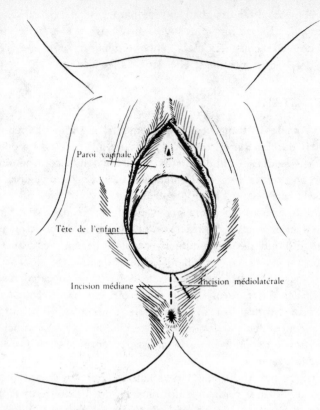

Paroi vaginale

Tête de l'enfant

Incision médiane   Incision médiolatérale

Figure 19: Episiotomie

le vagin dilaté. L'opération est d'autant plus facile que le crâne est encore malléable, puisque ses éléments constitutifs ne sont pas encore soudés les uns aux autres. La tête de l'enfant est la partie la plus volumineuse du corps; quand elle a passé, le reste suit sans difficulté. Sorti de l'orifice vaginal, l'enfant n'est pas encore libéré du cordon ombilical qui le relie au placenta, toujours attaché à la paroi utérine.

On ne connaît pas encore exactement le processus qui, chez le nouveau-né, déclenche le mécanisme de la respiration. Mais, dès qu'il est né, l'enfant crie plaintivement et son rythme de respiration s'établit. L'accoucheur le prend par les pieds, tête en bas, pour faciliter l'écoulement ou le rejet des mucosités qui peuvent subsister dans sa bouche ou dans sa gorge.

Puis le médecin pince à deux endroits différents le cordon ombilical, à environ 3 à 5 cm. du corps de l'enfant; coupe le cordon entre ces deux pinces. La portion du cordon qui reste attachée au corps de l'enfant sèche et se détache d'elle-même au bout d'un certain temps. Le nombril est le seul reste visible du cordon ombilical. Le cordon étant coupé, on prélève un échantillon de sang sur la partie encore attachée à la mère, ceci pour déterminer l'éventuelle présence d'anticorps Rh qui pourraient se trouver en trop grand nombre dans le sang de l'enfant. Le deuxième stade de l'accouchement est terminé.

L'enfant est lavé et on le place dans un berceau qu'on a préalablement chauffé. L'accoucheur lui met un bracelet d'identification, ou un collier, ou encore le marque aux doigts ou aux pieds. Pour prévenir les infections on met dans les yeux du nouveau-né une solution à 1 % de nitrate d'argent.

Pendant que s'occupent de l'enfant les infirmières ou les nurses qui ont assisté à l'accouchement, l'accoucheur recoud l'épisiotomie et attend le troisième stade du travail, l'expulsion de l'arrière-faix. La jeune mère ressent à ce moment-là une agréable sensation d'euphorie, qui peut être suivie d'un court moment dépressif (rarement grave). Ce tableau émotionnel est certainement le résultat de réactions psychiques liées au changement des fonctions endocriniennes qui suit immédiatement la délivrance. A ce moment-là, se produit dans la circulation sanguine de l'accouchée un brusque afflux d'oestrogène et de progestérone.

TROISIÈME STADE

C'est au troisième stade que se fait l'expulsion de l'arrière-faix, constitué du placenta et des membranes, qui se trouvent encore dans l'utérus. L'arrière-faix apparaît généralement 30 minutes après l'accouchement. Par de nouvelles contractions, le placenta se décolle de la paroi intérieure de l'uttérus (devenu beaucoup plus petit) et le gynécologue aide ce décollement en pressant légèrement sur l'utérus.

Habituellement l'expulsion de l'arrière-faix complet est facile et sans grandes douleurs pour la mère, avec une petite hémorragie qui provient de la séparation du placenta de la paroi utérine.

Pour éviter que l'accouchée ne perde trop de sang, on peut lui admi-

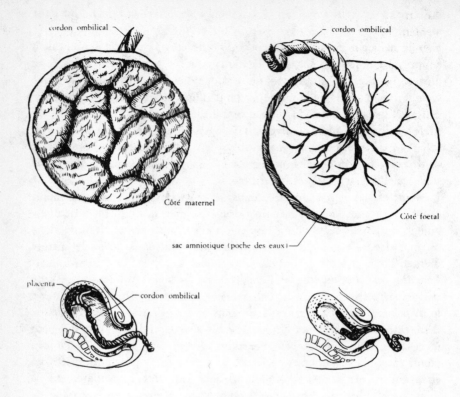

cordon ombilical

cordon ombilical

Côté maternel

Côté foetal

sac amniotique (poche des eaux)

placenta

cordon ombilical

*Figure 20: Troisième stade du travail
montrant le placenta sous ses deux aspects*

nistrer différents médicaments. L'arrière-faix est soigneusement vérifié par l'accoucheur. Il s'assure qu'il est complet, qu'il s'est correctement détaché et découvre éventuellement des symptômes de maladie ou d'anomalie du placenta.

L'accoucheur s'assure ensuite que l'utérus est bien contracté et qu'il ne se produit pas d'hémorragie anormale. On place une serviette sur la vulve de l'accouchée, qui peut déplier les jambes et se reposer avant de réintégrer sa chambre.

Nous avons décrit ici tout au long le déroulement normal de l'accouchement d'un premier enfant. Les accouchements suivants sont souvent plus courts et plus faciles.

Le travail et l'accouchement sont les aspects physiologiques de l'événement qu'est la naissance d'un nouvel être humain; du début à la fin, l'accouchement se déroule généralement sans complications ni douleurs intolérables.

Beaucoup de femmes ne sont pas suffisamment préparées aux efforts qu'elles doivent fournir au cours du deuxième stade d'expulsion.

Elles ont suivi les cours d'accouchement sans douleur, répété les exercices prescrits; elles savent contrôler leur respiration, faire la respiration haletante, ou « respiration du petit chien », effectuer correctement les exercices de « poussée » dont on leur a expliqué le mécanisme. Elles ont vu aussi d'excellents films retraçant du début à la fin la naissance d'un enfant. Elles sont donc bien préparées pour le grand jour. Mais cette préparation peut avoir ses risques car elle leur donne une fausse sécurité. Elles s'imaginent que, pour autant qu'elles exécutent parfaitement leurs exercices respiratoires et répètent les exercices de gymnastique qu'on leur a enseignés, tout se passera absolument sans douleur, comme dans un conte de fées...

Il arrive, bien sûr, que les choses se passent aussi facilement mais il faut pourtant savoir que, dans la majorité des cas, tout n'est pas aussi aisé. Si la jeune femme s'est bercée d'illusions, elle risque de se heurter à la dure réalité et de s'effrayer du sévère et long travail qui lui est demandé, à la fois éprouvant et douloureux. A l'étonnement du début succédera l'aigreur, la déception, la révolte. La jeune femme trouvera que l'enseignement théorique qu'elle a reçu ne lui est d'aucune aide; elle estimera que, dans son cas, cette méthode d'accouchement a été un fiasco, qui a aussi déçu son gynécologue...

Il arrive souvent que la jeune femme prie son accoucheur de l'excuser de la peine qu'elle lui donne. C'est un sentiment faux, car nulle, dans la salle d'accouchement, ne devrait jouer à la vedette ou s'imaginer qu'elle n'a pas besoin d'aide... Il faut qu'elle comprenne qu'en vue d'un accouchement réussi elle fait équipe avec son accoucheur, la sage-femme et les infirmières. Médecins et infirmières s'intéressent davantage aux progrès du travail qu'au comportement de la parturiente. Au deuxième stade, certaines femmes crient comme des bêtes et il serait erroné de croire qu'avec une attitude saine, une optique réaliste et un sourire courageux elles auraient pu accoucher facilement... Ce serait aller au devant de cruelles déceptions.

Mais ceci dit, il ne faudrait pas en déduire que les méthodes naturelles d'accouchement n'ont qu'une valeur relative. Elles sont parfaites pour des femmes bien équilibrées physiquement et psychologiquement.

Certaines femmes demandent à leur accoucheur un « accouchement indolore », qui consiste à les endormir avant le deuxième satde pour qu'elles ne reprennent conscience qu'après la naissance de l'enfant. Cette méthode était à la mode il y a pas mal d'années, mais elle fut vite discréditée par les résultats obtenus. La délivrance sous narcose est fort compliquée, puisque la mère ne coopère plus à l'avance du travail. Les enfants nés de cette façon souffrent souvent de difficultés respiratoires. Il serait mieux d'appeler les méthodes d'accouchement dites « sans douleurs »: méthodes naturelles d'accouchement. C'est par la pratique que l'effet de ces méthodes se réalise, et c'est parfois à la 2e, à la 3e ou à la 4e naissance que l'accouchée se dit que, cette fois-ci, elle sait comment réagir et que, si elle l'avait compris, elle aurait pu accoucher aussi facilement les autres fois. Mais cette déduction n'est pas toujours vraie, car souvent les accouchements précédents ont renforcé la musculature et agrandi les voies de la naissance. L'accouchement devient donc plus facile et moins douloureux.

Jusqu'ici, nous n'avons parlé que des cas classiques, dont l'issue est la naissance d'un seul enfant, ce qui est évidemment le plus fréquent. Mais les naissances multiples sont assez répandues et viennent compliquer certains accouchements.

LA NAISSANCE DE JUMEAUX

On compte en moyenne une naissance de jumeaux sur 90 accouchements, une naissance de triplés sur 8.000 cas et une naissance de quadruplés sur 500.000 enfants.

La grossesse multiple provient souvent de la libération de plusieurs ovules lors d'un même cycle menstruel, ou du développement de plus d'un être dans le même ovule, ou encore d'une combinaison des deux processus. Par exemple, il est possible d'avoir des quadruplés qui proviennent d'un, de deux, de trois ou de quatre ovules. Tous les quatre peuvent d'ailleurs provenir de la division du même ovule, tandis que deux embryons peuvent provenir de deux ovules, ou d'un même ovule, et les deux autres d'un ovule différent, ou de deux ovules différents. On appelle les bébés provenant d'un même ovule: *univitellins*, tandis que les bébés qui naissent en même temps mais proviennent de deux ovules différents s'appellent *bivitellins*, ou *trivitellins* s'ils proviennent de trois ovules différents.

Nous ne parlerons ici que des jumeaux proprement dits.

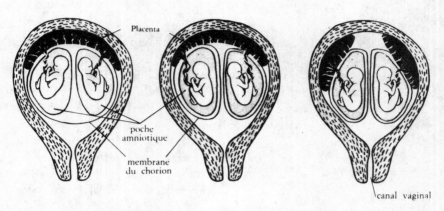

Figure 21: Développement foetal des jumeaux - à gauche: *univitellins, avec un placenta, une membrane chorionique, deux poches amniotiques* - au centre: *bivitellins avec un seul placenta, deux membranes chorioniques, deux poches amniotiques* - à droite: *bivitellins avec des placentas séparés, deux membranes chorioniques, deux poches amniotiques*

On calcule que les 2/3 des jumeaux sont multivitellins, et pour 1/3 seulement ils sont univitellins.

Dans la règle, à chaque cycle menstruel, les ovaires ne produissent alternativement qu'un ovule mûr. Mais l'ovulation peut se produire plus d'une fois. Si c'est le cas: si deux ovules sont fécondés par deux spermatozoïdes différents, il naît des jumeaux bivitellins. Puisque ces jumeaux bivitellins sont conçus par deux ovules différents et fécondés par deux spermatozoïdes différents, leurs caractéristiques héréditaires peuvent différer beaucoup de l'un à l'autre, et ils ne seront pas nécessairement du même sexe.

Les jumeaux univitellins se développent à partir d'un seul ovule fécondé par un seul spermatozoïde. En conséquence, ils seront identiques dans leurs caractéristiques héréditaires, et ils sont toujours du même sexe. On ne connaît pas le processus qui déclenche dans un seul ovule le développement de deux êtres. Il est possible que dès le début du développement de l'ovule fécondé il se divise en deux. Le degré de ressemblance des jumeaux dépend probablement du moment où se produit cette division. Donc plus la division de la cellule initiale se produira tôt avant la différenciation des cellules, plus les jumeaux seront semblables.

Lorsque des jumeaux se développent dans la matrice, chacun possède son propre cordon ombilical relié au placenta. Les jumeaux bivitellins s'implantent dans la paroi utérine indépendamment l'un de l'autre. Si leur implantation est suffisamment éloignée, ils auront des placentas séparés et seule la surface extérieure du chorion entrera en contact avec l'autre. Si au contraire la nidation est très proche, les deux placentas fusionnent et n'en forment qu'un, mais chaque jumeau a sa propre poche amniotique et sa propre membrane chorionique. Les jumeaux univitellins ont le même placenta, la même membrane chorionique, mais chaque foetus a son propre cordon ombilical et sa poche amniotique.

Etant donné que leur implantation peut être différente, les tests de ressemblance et de comparaison donnent de meilleurs résultats lorsqu'il s'agit de jumeaux univitellins que lorsqu'ils sont bivitellins. On les compare en fonction de leurs caractères héréditaires: sexe, groupe sanguin et type, pression sanguine, pouls, respiration, couleur des yeux, vue, pigmentation de la peau, couleur des cheveux et implantation de ceux-ci, lignes de la main, des pieds, grandeur, poids, forme du crâne et traits du visage.

Il est très important, pour l'étude de l'hérédité et de l'influence du milieu ambiant sur des jumeaux, de pouvoir déterminer s'ils sont vraiment « univitellins ». Certaines raisons portent toujours à douter que deux jumeaux soient identiques. Déjà leur milieu prénatal est différent, puisqu'il arrive qu'un des jumeaux naisse mort, tandis que l'autre est vivant. Le cas s'est produit.

Il arrive aussi que des jumeaux naissent réunis l'un à l'autre. C'est le cas des frères siamois. Cette erreur de croissance s'est produite lors de la division des cellules; la séparation n'a pas été complète, et les deux embryons sont restés réunis l'un à l'autre. Les jumeaux siamois meurent presque toujours avant leur naissance.

La prédisposition aux jumeaux est héréditaire et se produit toujours dans les mêmes familles. Si les jumeaux univitellins résultent de la division de l'ovule fécondé ou de l'embryon, sous l'influence d'un gène bien déterminé, ce phénomène peut provenir aussi bien de l'ovule de la mère que du spermatozoïde paternel. Dans le cas des jumeaux bivitellins, la mère seule est en cause, puisque c'est elle qui produit deux ovules qui sont fécondés en même temps, ou presque.

Suivant la position des deux foetus dans la matrice, de leur taille, de leur éventuelle prématuration, etc., la naissance des jumeaux est un peu plus compliquée qu'une naissance unique. Mais pour le gynécologue, elle ne pose pas un problème insoluble, surtout lorsqu'il a pu déceler leur existence avant l'accouchement. Les jumeaux, plus petits que l'enfant unique, ne posent pas de problèmes durant la grossesse, ni lors de la délivrance, si l'état de santé de leur mère est bon et si elle est en d'excellentes mains.

ACCOUCHEMENTS INHABITUELS

95 % des accouchements se déroulent sans histoire. Mais il arrive parfois que l'enfant se présente par le siège ou qu'il faille pratiquer une césarienne.

Habituellement — dans 96 % des cas — l'enfant se présente, dans le bassin, tête en bas, le siège sous les côtes. C'est ce qu'on appelle la « présentation céphalique ». Dans environ 3 % des cas, le siège de l'enfant se trouve dans le bassin, et c'est ce qu'on appelle la « présentation par le siège ». L'accouchement par le siège est plus pénible pour la mère et plus délicat pour l'enfant.

Les forceps sont fréquemment utilisés pour sortir la tête de l'enfant, à condition que sa position soit bonne et que l'accoucheur ait une grande pratique obstétricale: ainsi on met rapidement fin à un accouchement.

On recourt également aux forceps (fers) lorsque la mère a un bassin particulièrement étroit pour la grosse tête du bébé, lorsque certains symptômes (danger d'éclampsie) exigent que la délivrance soit plus rapide, quand le deuxième stade du travail se prolonge sans progrès réel, ou encore quand le médecin s'aperçoit que l'utérus de la mère est fatigué.

Actuellement, pour hâter la délivrance, on utilise fréquemment des instruments sans que la mère et l'enfant s'en ressentent le moins du monde. Certains accoucheurs recourent systématiquement aux forceps

Figure 22:
Présentation
par le siège

pour abréger le travail du deuxième stade et pour favoriser le passage de la tête. Certains médecins préfèrent cette méthode, car ils estiment que les fontanelles de l'enfant ne sont pas encore assez solides pour supporter la pression de la forte musculature du bassin, qui risque de les aplatir. Pourtant les nouveaux-nés semblent se remettre très vite du traumatisme de la naissance. Certaines sommités médicales s'interrogent pour savoir si les gros efforts du deuxième stade du travail ne peuvent mettre en péril les délicates cellules du cerveau de l'enfant, le blessant légèrement, entraînant des troubles qu'on ne peut détecter aussitôt. Ils préfèrent donc, au lieu de laisser agir la nature, protéger la tête de l'enfant.

A la naissance d'un premier enfant, la parturiente ressent généralement des douleurs assez fortes, surtout si elle a le bassin étroit. Les accouchements ultérieurs sont plus faciles, car les voies sont élargies par le passage du premier enfant. C'est pourquoi la femme qui met au monde son premier enfant, doit se confier à un bon accoucheur.

LA CÉSARIENNE

Autrefois la césarienne présentait plus de dangers qu'aujourd'hui.

L'opération de la césarienne consiste à sortir l'enfant à travers une incision pratiquée dans la paroi abdominale de la mère. L'utérus incisé, le chirurgien sort l'enfant selon la méthode qui s'adapte à chaque cas particulier.

Les risques de cette opération ont considérablement diminué grâce aux antibiotiques, aux anesthésiques nouveaux, aux transfusions de sang faites à la moindre alerte, à l'habileté des chirurgiens, mais il s'agit évidemment d'une opération, et on ne s'y résoud pas à la légère.

Parfois l'opération est indispensable pour sauver l'enfant, la mère ou tous les deux à la fois. On peut la faire préventivement si le praticien juge qu'une naissance normalement accomplie comporterait des risques. Avant de pratiquer une césarienne, l'accoucheur consulte un ou plusieurs de ses collègues pour décider en commun si cette délivrance s'impose. Dans la plupart des maternités et des cliniques les usages exigent cette consultation préalable.

Parmi les circonstances qui impliquent le recours à la césarienne, notons: l'hémorragie utérine au dernier stade de la grossesse; la disproportion de taille entre la tête de l'enfant et les voies de la naissance;

certaines maladies ou un mauvais état général de la mère; un mauvais
état du cœur, des reins, des poumons, etc.; la longueur et l'inefficacité
du travail, ou encore des symptômes inexpliqués qui mettent en danger
la vie de l'enfant.

Aux rayons X, le gynécologue décèle facilement la disproportion de
taille entre la tête de l'enfant et les dimensions du bassin maternel.
Si un doute subsiste, on laisse le travail se faire normalement mais si,
au bout de 4 à 6 heures de travail, la délivrance est encore lointaine,
on pratique la césarienne.

Lorsque la jeune femme est entre de bonnes mains, dans un bon hôpital, il est rarissime qu'elle succombe à cette opération. Pourtant la
césarienne demeure sérieuse: comme cette délivrance n'ouvre pas les
voies de la naissance, les naissances suivantes devront se faire par le
même moyen, 10 ou 15 jours avant la date prévue.

Ces dernières années, les médecins de certaines maternités et cliniques
d'accouchement ont vivement encouragé celles de leurs clientes qui
avaient eu un premier enfant par césarienne d'accoucher par la voie
normale, lorsque les circonstances de leurs futures grossesses le permet-
taient. Cette méthode a eu de brillants résultats. De toute façon, il
est déconseillé d'accoucher par césarienne plus de 3 fois car les parois
de l'utérus perdent de leur élasticité et risquent de se déchirer vers
la fin de la grossesse. On connaît cependant le cas de femmes qui,
sans le moindre ennui, ont accouché 9 fois et plus par césarienne, ce
qui est vraiment une preuve de résistance exceptionnelle.

Les suites de couches

La mère et l'enfant doivent se reposer après les efforts de la naissance.
Pendant les premières 24 heures, l'enfant ne reçoit pas de nourriture;
on ne lui donne que de l'eau sucrée ou du thé léger. La « montée de
lait » se fait généralement vers le 3e ou le 4e jour après la naissance,
que l'enfant soit mis au sein ou non. L'écoulement du premier jour,
qui n'est pas encore du lait, mais du *colostrum*, est précieux pour
l'enfant, car il est légèrement laxatif et l'aide à évacuer les déchets
accumulés dans son intestin (méconium) avant sa naissance.

Certaines maternités autorisent la mère à garder près d'elle le bébé
dans son berceau. Toute l'attention de la mère est ainsi tournée vers
son petit. Elle se familiarise aussi avec les tâches qui l'attendent. Cer-

tains spécialistes pensent qu'en séparant la mère de l'enfant on leur impose à tous deux une privation d'ordre psychologique, qui affecte spécialement le nourrisson.

Les premiers jours, la jeune mère doit beaucoup dormir, à l'aide de sédatifs s'il le faut; pendant ce temps, l'utérus reprend sa taille normale, après avoir évacué du sang, des mucosités et les restes à demi-dissous de sa paroi intérieure (lochies).

Au début, les lochies sont épaisses et gorgées de sang, mais elles s'éclaircissent peu à peu et deviennent plus fluides. Leur sécrétion diminue et finit par disparaître après 2 ou 5 semaines.

Pendant cette période, et surtout pendant les deux ou trois premiers jours, la jeune mère peut souffrir de crampes qui proviennent du retour de la matrice aux dimensions normales. Si ces crampes sont trop douloureuses ou si la cicatrice de l'épisiotomie gêne l'accouchée, on lui administre une légère médication.

La jeune femme peut profiter de son hospitalisation pour se familiariser avec les tâches qu'elle devra assumer à son retour chez elle: langer l'enfant, le changer, le nourrir, le baigner, etc. Il est touchant de voir avec quelle crainte la jeune mère ou le jeune père manipulent leur enfant, terrifiés à l'idée de lui faire mal, de le blesser ou de le laisser tomber!

Fort heureusement le nouveau-né n'est ni aussi délicat ni aussi fragile qu'il en a l'air! Aussi malgré les craintes et les inévitables maladresses du début, la jeune mère prend-elle vite l'habitude de s'en occuper.

Il existe bien des ouvrages qui décrivent les joies émotionnelles que la jeune mère ressent en tenant dans ses bras son nouveau-né; on oublie trop de dire que le mari en ressent une joie et une fierté égales, car le voilà *père*, donc presque un surhomme! Mais cette joie incomparable se paie, ne l'oublions pas.

Certains changements d'aspect, d'allure, sont inévitables, même pour la femme très soignée qui prend toutes les précautions pour garder sa beauté. Sa poitrine est moins ferme, elle s'affaisse légèrement (qu'elle allaite ou non), les mamelons conservent leur couleur foncée. La paroi abdominale s'est élargie et seuls des exercices réguliers de gymnastique lui redonneront peu à peu l'allure qu'elle avait auparavant. Si elle néglige de pratiquer ces exercices, ses muscles se relâcheront et elle devra se corseter, surtout si elle a pris beaucoup d'embonpoint pendant sa grossesse. Des vergetures peuvent aussi apparaître sur l'abdomen, les

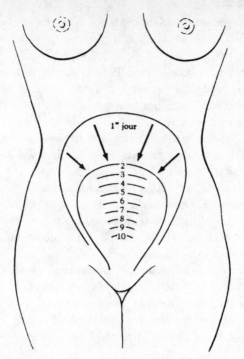

Figure 23: L'utérus reprend sa taille normale

hanches, les cuisses, des varices (veines distendues) sur les jambes, les lèvres ou d'autres parties du corps.

Certains éléments émotionnels troublent les jeunes mères, qui font souvent une dépression post-natale. Cet état dépressif n'est pas durable, mais les hommes doivent savoir que leur femme traversera cette période, où elle se sentira triste et découragée sans raison, et où ils s'estimeront un peu délaissés au profit du nouveau-né. La jeune mère éprouve souvent à ce moment-là une angoisse quant à l'avenir.

Elle doit vivre calmement dans un milieu tranquille, et la vie reprendra harmonieusement avec le nouveau venu au foyer. Pour se reposer vraiment et récupérer des forces, la jeune femme et son entourage devront respecter trois impératifs:

a) elle recevra le moins possible de visites,

b) elle évitera tout surmenage,

c) son mari se montrera envers elle attentionné et prévenant.

A l'arrivée du premier enfant, le père doit s'attendre à ce que tout l'intérêt de sa femme se tourne vers l'enfant; il en sera réduit lui-même à la portion congrue! Consciemment ou inconsciemment il éprouvera un sentiment de jalousie devant l'affection profonde qui unit la mère à l'enfant. Pour éviter les heurts à ce sujet, la jeune femme aura la sagesse d'accepter le concours de son mari pour les soins à donner au nourrisson et lui témoignera sa satisfaction de l'aide qu'il lui apporte ainsi. Par exemple, si l'enfant est nourri au biberon, le père lui fera prendre certains de ses repas.

Le retour des règles varie suivant les cas. Les femmes qui ne nourrissent pas sont à nouveau réglées 6 semaines environ après l'accouchement, celles qui allaitent, 3 mois plus tard, voire dans un délai plus long. Parfoit la menstruation ne reprende que lorsque l'enfant est sevré.

Habituellement les règles reprennent tout à fait normalement, mais il arrive aussi que la menstruation soit si abondante qu'elle ressemble à une petite hémorragie et effraye la jeune femme. Si elle se sent très fatiguée à ce moment-là, elle restera couchée jusqu'à ce que le flux redevienne normal.

La période de continence sexuelle dure environ 6 semaines après la naissance de l'enfant, tant qu'il y a des lochies, jusqu'à la guérison de l'épisiotomie, la rétraction de l'utérus et la reprise de place et de taille de tous les organes du bassin.

Les relations sexuelles ne seront donc reprises qu'une fois les lochies taries; d'ailleurs, la jeune mère n'en éprouve pas un désir bien vif. Les rapports sexuels réveillent certaines douleurs et il faudra du temps pour qu'elle connaisse à nouveau l'orgasme.

Souvent, à ce moment-là, l'homme n'à guère le désir des relations amoureuses. Il a assisté à l'accouchement et considère les choses différemment, éprouvant plus de respect pour sa femme et ne voulant pas l'assimiler à un instrument de plaisir.

Mais lorsqu'un peu de temps a passé, les relations sexuelles reprennent comme avant la grossesse et les deux conjoints y trouvent le même plaisir, voire davantage, car un enfant est né d'eux et leur amour s'en trouve fortifié.

L'INTERRUPTION DE GROSSESSE

Nous allons aborder maintenant le problème des grossesses qui n'arrivent pas à terme. Elles représentent 20 à 25 % des cas. Dans ce pourcentage nous englobons tous les cas où le foetus meurt ou se détache avant d'être suffisamment développé pour vivre de façon indépendante. Si la grossesse s'interrompt au cours des 3 premiers mois, on parle d'un *avortement* ou *fausse-couche*; entre le 4e et le 6e mois, on parle d'un accouchement immaturé, et dès la 4e semaine avant la date prévue pour la naissance, on parle de *naissance prématurée*.

Il est donc faux d'appeler « fausses-couches » les interruptions involontaires de grossesse, et « avortements » les interruptions provoquées. Pour éviter des confusions, les médecins n'emploient d'ailleurs que le terme d'avortement quand ils désignent l'interruption de la grossesse au stade où l'enfant n'est pas viable.

Lorsque la grossesse s'interrompt après la 32e semaine, l'enfant a de grandes chances de survivre, grâce aux soins très attentifs d'infirmières spécialement formées pour soigner les prématurés.

Le mot: avortement sonne désagréablement aux oreilles du grand public. Pourtant il désigne simplement l'expulsion — spontanée ou provoquée — avant le moment où le foetus est viable. Lorsque l'avortement n'est pas provoqué, on parle d'« avortement spontané » et, lorsqu'il fait suite à une intervention chirurgicale ou à d'autres moyens abortifs intentionnels, on parle d'« avortement provoqué ».

Les avortements spontanés se classent en deux groupes: les plus nombreux sont les avortements d'origine inconnue, qui se produisent « par hasard », accidentellement, et dont les conditions ne se reproduisent plus lors des grossesses suivantes.

Les moins nombreux sont ceux qui se répètent à chaque nouvelle grossesse, dont la cause est connue, et qu'on appelle « avortements à répétition ».

L'avortement spontané peut avoir de nombreuses causes. Il peut être déclenché par des lésions du spermatozoïde ou de l'ovule, par des malformations au cours du développement de l'embryon, par des maladies, ou encore par des malformations de la matrice. Dans le premier stade de la nidation du noyau embryonnaire, des troubles du système hormonal peuvent également être responsables d'avortements spontanés.

70 % environ des avortements spontanés se produisent entre le 2e et le 3e mois de la grossesse, à compter de l'arrêt de la menstruation. Accompagnées d'un écoulement vaginal, des crampes dans le bassin annoncent cette menace. Quand la jeune femme garde le lit, ces symptômes disparaissent, mais il arrive qu'ils deviennent plus inquiétants: l'écoulement vaginal se mue en petite hémorragie; même dans ce cas, on parle encore de « menace d'avortement », car il est difficile d'hypothéquer l'avenir.

On met bien entendu tout en oeuvre pour assurer la conservation de la grossesse. La jeune femme ne doit plus quitter le lit, les relations sexuelles sont absolument proscrites et le gynécologue, alerté, prescrit, suivant le cas, un traitement d'hormones et de tranquillisants. Souvent ces efforts sont couronnés de succès. Mais dans certains cas on ne peut pas éviter l'avortement, et la femme expulse le fruit de la conception. Lorsque l'expulsion est totale, on parle d'avortement spontané complet. L'embryon est visible, ou il ne l'est pas. Si l'embryon reste dans la matrice et si la femme continue à saigner et à avoir des contractions, on parle d'avortement spontané incomplet. Une hospitalisation est généralement nécessaire, pour enlever chirurgicalement les restes du placenta encore attachés à l'utérus (curetage).

Bien nettoyé l'utérus guérit rapidement et il est bientôt apte à une nouvelle grossesse.

Il peut arriver aussi — très occasionnellement — qu'un embryon mort reste fixé dans la matrice pendant plusieurs semaines. Un curetage doit évidemment être fait.

Parmi les autres causes d'avortement, il faut citer:
le déséquilibre glandulaire,
la malnutrition,
l'effet toxique sur l'embryon des drogues et des médicaments.

Si une violente action extérieure — coups, chocs, traumatismes — s'exerce sur le bas-ventre de la femme enceinte, un avortement en est souvent la suite, comme il peut résulter aussi de relations sexuelles trop fréquentes et trop brutales, d'un long voyage en auto sur de mauvaises routes etc., mais uniquement, semble-t-il, lorsque l'embryon n'est pas solidement fixé dans la paroi utérine.

En obstétrique, c'est par des suppositions que l'on détermine les causes probables de l'accident, par la méthode empirique plus que par la logique, surtout lorsque l'avortement spontané se déclenche entre le 4e et le 5e mois, alors que le foetus est parfaitement constitué mais non viable.

Des progrès ont été réalisés dans le traitement de certains cas d'avortement spontané. Le déséquilibre glandulaire, par exemple, se traite par une médication hormonale appropriée.

L'avortement *provoqué* est une intervention bien souvent illégale. L'avortement thérapeutique interrompt la grossesse par un procédé artificiel. Il ne peut se faire qu'avec certificat signé de deux médecins qui attestent que la continuation de la grossesse mettrait en danger la vie de la mère ou sa santé. Pour justifier d'un avortement provoqué on avance parfois des tares héréditaires = hémophilie, certaines formes de l'idiotie. Mais ces cas médicaux, psychiques et eugéniques ne sont pas uniformément codifiés et il se peut que certaines circonstances divisent les médecins quant à l'acceptation ou au rejet d'un avortement provoqué. Parfois l'intervention est légale dans certains pays et illégale dans d'autres.

Aux Etats-Unis, par exemple, malgré l'incidence qu'une grossesse peut avoir sur la santé mentale de la femme, on n'accorde pas d'autorisation d'avortement quand elle prétend simplement interrompre sa grossesse, si elle évoque des raisons économiques ou des facteurs sociaux. Pourtant dans certains cas-limites la situation sociale et les difficultés économiques de la consultante peuvent militer en faveur d'une interruption de grossesse indésirable.

Pour que chaque cas puisse être examiné sans parti pris, les grands hôpitaux ont institué des Comités qui examinent toutes les demandes d'avortement et décident de les accepter ou de les refuser.

Lorsque la grossesse ne dépasse pas la 12e ou la 13e semaine, l'avortement thérapeutique se fait par voie vaginale. Généralement l'intervention est pratiquée plus tôt, vers la 8e semaine, quand elle est le plus facile et présente le moins de dangers, car le décollement de l'ovule des parois de la matrice suffit alors. Ce curetage doit être remplacé, lorsque la grossesse est plus avancée, par une ouverture de la paroi abdominale avec incision de l'utérus.

L'illégalité de l'avortement est une des questions les plus épineuses et les moins étudiées de la médecine moderne. Notre société trouve plus pratique d'écarter ce problème et, autant que faire se peut, de feindre de l'ignorer. Aux U.S.A., on estime à plus d'un million les avortements illégaux qui se pratiquent chaque année. En France, on admet qu'ils approchent du million. 75 % de ces chiffres s'appliquent à des femmes mariées qui veulent ou doivent éviter une troisième ou une quatrième grossesse. 50 % de ces avortements sont pratiqués par des médecins, 20 % par des sages-femmes et 30 % par les femmes elles-mêmes, souvent aidées par leur mari. Se rattachent à ces deux dernières catégories les interventions qui se terminent tragiquement.

L'avortement illégal est dangereux physiquement et psychiquement. Le caractère clandestin de l'opération, la qualité des personnes qui y sont impliquées sont si dégradants pour celle qui en est l'objet qu'elle ne peut plus jamais oublier cette expérience. Après l'intervention, elle se sentira mentalement soulagée mais une période de dépression suivra cette euphorie, provoquée par un sentiment conscient ou caché de culpabilité. Souvent disparaît à tout jamais l'amour qu'elle portait au géniteur. Elle se rend compte qu'elle a tué son propre enfant, la chair de sa chair; elle s'est déconsidérée à ses propres yeux...

Les remords qu'elle éprouve lui font craindre de ne plus pouvoir concevoir. Plus tard ces remords s'exacerberont si, désireuse de concevoir, elle rencontre certaines difficultés. Si elle se retrouve enceinte, elle hésite à dire à son médecin qu'elle a subi un avortement thérapeutique, craignant que ce rappel du passé n'influe sur sa nouvelle grossesse.

L'avortement clandestin présente également des dangers d'hémorragie et d'infection. Cette infection peut s'étendre jusqu'aux trompes et enflammées celles-ci provoquent la stérilité. Si l'utérus est perforé, la femme risque la mort. Les risques d'infection et, partant, de décès, ont beaucoup diminués grâce aux antibiotiques, mais la femme qui a subi une intervention de ce genre ne devra jamais, par la suite, négliger de se faire examiner par son médecin traitant.

On cherche évidemment à lutter contre l'avortement clandestin mais il serait plus utile que la société trouve enfin une solution à ce problème. Elle ne semble guère le fait d'un proche avenir. Les lois actuelles ne reconnaissent que l'avortement thérapeutique, imposé par les circonstances; tous les autres cas sont donc illégaux et punissables. En fait, la société s'en détourne laissant les médecins faire face comme ils le peuvent...

Les médecins qui pratiquent l'avortement clandestin mènent à vrai dire une existence en marge, oeuvrant dans l'ombre avec l'espoir de gagner suffisamment d'argent pour abandonner un jour « le métier » ou reprendre plus tard une véritable clientèle médicale. Mais dans le nombre il y a aussi des idéalistes; poussés par des motifs humanitaires, ils se laissent attendrir par les situations tragiques où se débattent souvent leurs consultantes.

La femme qui estime une grossesse indésirable s'adresse en général au médecin de famille. Celui-ci vérifie s'il y a effectivement grossesse. Il est parfaitement possible qu'une menstruation ne se soit pas faite et que la femme ne soit pas enceinte. 10 % environ des avortements sont pure escroquerie à la grossesse, pratiqués sur des femmes non gravides... Le médecin de famille ne peut que confirmer ou infirmer la grossesse. Même s'il est compréhensif, il ne connaît aucune adresse à indiquer à sa cliente. La jeune femme se confie donc à des « amies » qui, elle le sait, ont vécu pareilles circonstances ou qui, peut-être, connaîtront quelqu'un qui en a l'expérience. C'est ainsi qu'on se chuchote de bouche à oreille « la bonne adresse » de la faiseuse d'anges ou de l'avorteur susceptible d'intervenir.

La femme célibataire qui soupçonne une grossesse pose un problème particulier au médecin qui l'examine: si c'est une fille jeune, il admet ipso facto qu'elle n'a pas parlé de son état à ses parents. C'est généralement vrai, car la jeune femme craint de les choquer et de leur faire de la peine. Pourtant les parents sont presque toujours prêts à soutenir leur enfant dans l'épreuve. Ils seront gênés, fâchés ou anéantis par cette révélation, mais la jeune femme ne doit pas s'imaginer qu'ils ignorent tout à fait ce problème, car ils l'ont peut-être vécu comme elle... Lorsqu'une confiance absolue règne entre parents et enfants, c'est dans la détresse qu'elle se manifestera, car ni les parents ni la jeune femme ne voudront éluder leurs responsabilités: la future mère saura qu'elle peut quoi qu'il arrive, entièrement compter sur les conseils et sur l'aide de ses aînés.

Les manoeuvres abortives les plus dangereuses sont celles auxquelles la femme enceinte recourt en secret. Les objets les plus inattendus servent dans ces cas-là: aiguilles à tricoter, aiguilles à chapeaux, baleines, fines tiges d'acier, etc. Souvent il en résulte une perforation de l'utérus, des infections, qui sont responsables de décès tragiques... d'autant plus qu'après on constate souvent que la jeune femme n'était pas enceinte. Les pilules et les médicaments qui sont censés déclencher l'avortement se vendent par milliers chaque année, mais ils sont absolument sans effet, malgré tout ce qu'on peut prétendre! Même en les ingurgitant par poignées, on n'arriverait en fait qu'à nuire à l'organisme.

Certaines pilules de quinine ou d'ergotine (seigle cornu) connaissent une grande vogue, car elles passent pour activer les contractions de la matrice. Ce succès est en réalité tout à fait fortuit: souvent la femme enceinte qui refuse d'être mère est la proie d'une grande inquiétude psychique qui peut suffire à entraîner un avortement spontané d'origine psychosomatique. Mais ajoutons que, dans la plupart des cas, une simple coïncidence est la clé de ce succès. Les femmes dont les règles réapparaissent peu après l'absorption de ces médicaments font une relation de cause à effet et recommandent chaudement cette spécialité à leurs amies. Or il s'agit simplement de règles qui surviennent avec du retard, ou encore d'un avortement spontané, qui se serait produit de toute manière. Les autres méthodes utilisées sont tout aussi inefficaces. Citons dans cet ordre d'idées: les bains très chauds, les bains de moutarde, les laxatifs pris à forte dose, les sauts répétés du haut d'un plongeoir, les chutes dans les escaliers, voire les sauts en parachute.

Il n'existe actuellement aucun moyen mécanique de provoquer l'avortement.

Aujourd'hui, les mères célibataires peuvent se retirer dans des homes où elles sont utilement conseillées, guidées et soutenues. Elles y trouvent la tranquillité qu'il leur faut avant et après l'accouchement; elles choisiront les solutions les plus pratiques pour l'éducation de leur enfant, voire son adoption par une famille qui en exprime le désir. Au cours de ce séjour, la jeune femme sera renseignée sur les techniques contraceptives, et on mettra l'accent sur les responsabilités que sa vie sexuelle lui fait encourir.

Il faut signaler que, dans la majorité des cas d'avortement, il s'agit de femmes mariées dont le mari est le père de l'enfant à naître. Pour elles, un aspect du problème peut être résolu par une meilleure connaissance des techniques contraceptives. On pourrait aussi envisager d'étendre et de faciliter l'adoption légale d'enfants légitimes dont les parents renonceraient à leurs droits. En bref dans notre société il faut soigner non seulement les effets, mais surtout les causes du mal.

Chapitre 3

Le développement psychosexuel

Les émotions de l'amour et les impulsions sexuelles n'apparaissent pas brusquement chez l'adolescent. Ce développement commence, comme du reste tout ce qui caractérise la personnalité humaine, à la naissance et il dure toute la vie.

Notre personnalité, notre caractère, notre sensibilité, notre sensualité, notre comportement, nos opinions, bref tout ce qui fait de nous des individus distincts prend naissance avec nous. Toutes nos possibilités — comme nos limites — sont fixées d'avance par nos particularités et nos dispositions profondes.

L'hérédité

Tout d'abord, nous possédons nos caractéristiques héréditaires, fixées une fois pour toutes à la fécondation. Ces facteurs héréditaires sont responsables de notre aspect physique, de notre taille et de nos capacités intellectuelles. Chez les nourrissons on note déjà des différences de réactions musculaires qui permettent de prédire quelle sera plus tard leur personnalité, compte tenu de l'époque où ils commencent à marcher à quatre pattes, à se tenir debout, à marcher, à jouer à la balle, etc.

Peu de temps après sa naissance, on voit déjà si un enfant sera sociable ou réservé, vif ou calme. Le sexe de l'enfant aura aussi une influence marquée sur son comportement. Le nouveau-né apporte en naissant un bagage héréditaire qui ne peut plus être modifié.

Le milieu

C'est le milieu dans lequel l'enfant vit de sa naissance à sa majorité qui modèle en grande partie sa personnalité, lui apprend à utiliser ses dons, prépare son avenir.

Physiquement, émotionnellement et psychiquement l'enfant est influencé par ses parents, et surtout par sa mère. Ses premières années constituent un enracinement, une formation. Sa place dans la société — il est enfant unique ou il a des frères et soeurs — influence ses capacités réceptives vis-à-vis de son entourage. Les soins dont ses parents l'entourent, l'éducation qu'ils lui donnent vont marquer toute sa vie et, dans cette lumière, les faits et les gestes des parents, leurs éloges ou leurs critiques prennent une ʼimportance particulière, qui conditionnera l'attitude de l'enfant, lorsqu'il sera lui-même adulte. Selon l'ambiance dans laquelle il vit il peut devenir, aux deux extrêmes, trop soumis, trop passif ou, au contraire, trop dominateur, trop autoritaire. Si le petit enfant est propre de bonne heure et s'il prend vite de bonnes habitudes, on pourra prédire qu'il sera plus tard un être convenable et bien élevé; s'il acquiert tardivement ces habitudes de propreté, il vivra sans doute dans le désordre et la révolte.

Le sentiment de sécurité qu'éprouve l'enfant est le reflet de sa vie familiale et spécialement de ses relations avec sa mère. Entouré de parents patients, tendres et affectueux, il éprouvera un sentiment de chaleur et de bien-être; son développement se fera harmonieusement et, plus tard, il ne doutera pas de lui.

Au contraire, si ses parents sont sévères, brusques, irritables ou impatients, il éprouvera un sentiment d'insécurité et de méfiance à même de perturber sa sociabilité d'adulte.

Quand les parents lui témoignent — même à mots couverts — qu'ils sont heureux qu'il soit un garçon — ou qu'elle soit une fille — ils influent encore sur sa destinée car ils l'aident à accepter sa virilité ou sa féminité et, plus tard, il jouera bien son rôle d'homme ou de femme.

Plus l'enfant grandit, plus il communique avec le monde extérieur: son caractère se forme au contact de ses camarades de jeu, de ses expériences scolaires, ses pratiques religieuses.

Le monde de l'amour et de la sexualité procède d'un développement psychosexuel. Nous en portons le germe dès la naissance mais, pour qu'il s'épanouisse, le corps doit subir les modifications organiques de la puberté.

Selon les théories de Freud on distingue dans ce développement 5 périodes:

1) phase orale,

2) phase anale,

3) phase génitale

4) phase latente

5) phase de la puberté.

Chacune de ces phases est caractéristique. Au fur et à mesure qu'elles
se déroulent, prennent forme les émotions de l'amour et les sentiments
que nous entretenons pour le sexe opposé. Tous ces facteurs vont se
combiner pour déterminer ce que nous serons et ce que nous resterons
toute notre vie.

La phase orale

Au cours de la première année, la bouche est pour le nourrisson la
source de tous les plaisirs, puisqu'elle lui permet de satisfaire ses appétits.
Son instinct de succion s'y exerce; dès qu'il a faim, il le manifeste
en ouvrant la bouche pour hurler; mais qu'on le mette au sein ou qu'on
lui donne son biberon, cette sensation de faim disparaît et sa succion
lui procure son premier plaisir.

C'est pourquoi on appelle cette première phase: la phase orale car
c'est la bouche qui est la première zone de plaisir.

Beaucoup de nos plaisirs d'adultes ne sont qu'une suite de ces premières
expériences. La bouche et les lèvres tiennent une grande place dans
le plaisir que nous éprouvons à manger, boire, embrasser ou fumer.
Au cours des premiers mois de sa vie, l'enfant a besoin d'un milieu
physiologique adéquat, mais qui lui donne plus encore: au sein, il
n'apaise pas seulement sa faim; il satisfait également le besoin d'être
tout près de sa mère.

L'enfant doit être choyé et bercé, il doit trouver refuge dans les bras
de sa mère, quand elle lui donne le sein ou le biberon. La satisfaction
qu'il trouve à se blottir, corps et âme, contre sa mère prélude au
plaisir qu'il trouvera, adulte, à serrer l'être aimé et à le caresser.

Vers six mois, l'enfant fait ses premières poussées dentaires, et le
soulagement de mordre s'ajoute au plaisir de téter. Ses gencives sont
enflées; elles l'agacent, et mordiller le calme et l'apaise.

Sa bouche lui sert à témoigner son amour, mais aussi à extérioriser son
hostilité, première manifestation de cette ambivalence de sentiments que
nous connaîtrons plus tard, et qui permet d'aimer et de haïr à la fois.
Ces premiers contacts émotionnels font qu'une mère aimante peut donner à son enfant un sentiment de sécurité et de bien-être que renforce en-

core l'attitude du père qui lui témoigne sa tendresse et sa joie de le voir. Dans ces conditions idéales, l'enfant traverse sans difficulté la période orale.

Par contre, si l'enfant passe les premiers mois de sa vie frustré de ces éléments essentiels, sa croissance émotionnelle sera perturbée, et il sera difficile d'y remédier plus tard. L'enfant, souvent tyranniquement, cherchera à accaparer amour et chaleur afin de compenser l'affection qui lui a manqué pendant la phase orale.

Il lui faudra de continuelles preuves d'affection, il exigera gâteries et cadeaux et fera obéir son entourage au doigt et à l'oeil.

En lisant cet exposé, dont le but est de faire connaître la complexité des facteurs qui influencent le développement psychologique de l'enfant, certains lecteurs pourraient s'imaginer qu'il suffit, pour entraîner des carences durables, d'une seule erreur dans l'éducation d'un enfant. La pratique infirme cette crainte: il arrive à tous les parents d'être énervés par leurs enfants; mais l'amour qu'ils leur portent apaise bien vite cette irritation. C'est la ligne de conduite habituelle qui est primordiale, l'affection dont l'enfant se sait l'objet. A l'occasion, une intervention énergique ne peut pas faire de mal et elle est parfois nécessaire! Chacun a ses défauts et de temps à autre l'expression d'une certaine vivacité forme des êtres tolérants capables de s'adapter au milieu où ils évoluent.

La phase anale

Cette phase du développement suit la phase orale et débute vers le 12e mois pour se terminer vers la 3e année.

A un an, l'enfant possède une musculature suffisamment développée pour exercer un certain contrôle sur ses défécations. Il prend vite conscience de cette nouvelle possibilité de retenir ou d'expulser ses selles, à volonté, et il trouve plaisir à l'utiliser.

L'anus devient ainsi une seconde source de plaisir sensoriel et, à ce titre, une seconde zone érotogène.

Ce stade du développement coïncide habituellement avec l'époque où la mère habitue l'enfant à aller sur son pot; le processus de la digestion se trouve donc au centre de ses deux pôles d'intérêt.

Avec tact, il faut enseigner à l'enfant qu'il y a des endroits précis où l'on fait ses besoins, le pot par exemple, ou la chaise percée, ou encore la cuvette des W. C. Mais l'enfant a des vues très différentes de l'adulte sur toute la question des défécations, et c'est l'origine d'un grave conflit qui peut l'opposer à son entourage. Il est très fier d'expulser ses selles, et à l'idée qu'il les fabrique lui-même, il en est plus fier encore. Contrairement à l'adulte, il n'éprouve donc aucun dégoût à leur endroit. Il admire ses matières fécales et aimerait les conserver. Il a peine à comprendre que sa mère s'y intéresse si peu, alors qu'il leur trouve tant de valeur. Dès qu'il a été à la selle, elle s'empare de son petit pot avec dégoût, jette aussitôt son contenu sans qu'il ait pu y toucher. Très perplexe l'enfant cherche une explication à cette incompréhensible situation.

Parfois il retient ses selles le plus logtemps possible, pour les expulser au moment de son choix, ce qui mécontente sa mère. D'autres fois ce conflit prend la forme d'une véritable lutte où l'enfant, pour s'opposer à ses parents qui trouvent ses défécations peu appétissantes (ce qu'elles sont pour des adultes normaux) les dépose dans les endroits les plus inattendus, en signe puéril de protestation...

Mais l'enfant qui est complètement dépendant de son entourage finit par s'habituer au pot ou à la chaise percée, pour s'assurer l'affection et l'approbation de ses parents. Petit à petit les selles perdent pour lui leur signification première et, par un phénomène de compensation, il se met à jouer avec de la pâte à modeler ou du sable dont il fait des pâtés. Souvent il reporte son instinct de propriétaire sur d'autres objets ou se met à veiller jalousement sur ses jouets.

Ces événements ont une telle importance pour le petit enfant qu'il est marqué par la manière dont sa mère s'y est prise pour lui apprendre la propreté. Si elle entreprend son éducation avec trop d'énergie et d'intransigeance, l'enfant peut devenir plus tard un révolté, un obstiné, ou au contraire un être passif et soumis. Si elle se montre conciliante, tolérante et patiente, l'enfant présentera, plus tard, ces mêmes qualités, fruits d'une éducation harmonieuse et naturelle.

Si dans cette éducation de la propreté la mère se montre intolérante, l'enfant pourra fort bien avoir plus tard la phobie de la saleté et devenir un individu soucieux et maniéré. La règle n'est évidemment pas absolue, mais l'enfant subit ces influences et il faut autant que possible éviter tout conflit susceptible d'agir sur son caractère.

Pendant les phases orale et anale de son développement psychosexuel, l'enfant est centré sur lui-même, et se voit l'unique raison d'être du monde qui l'entoure; ses proches, lui semble-t-il, n'existent que pour satisfaire ses exigences et ses désirs. Ce point de vue est bien normal chez un petit enfant: mais s'il persiste chez des gens de 30 ou 40 ans, ils empoisonnent ainsi la vie de leur entourage. Nous connaissons tous des adultes qui mesurent la valeur des autres à leur dévouement ou à l'importance des avantages qu'ils peuvent leur demander.

La phase génitale

L'intérêt de l'enfant se détourne petit à petit de ses selles au profit de ses organes génitaux. La 3e phase, ou phase génitale, commence et durera de la 3e à la 6e année environ. L'enfant aime la sensation agréable que lui procure un vêtement soyeux, doux au toucher, il prend mieux conscience de son corps. Ces sensations ne lui étaient pas inconnues, mais il les éprouve maintenant de façon plus consciente, et elles passent au premier plan de ses préoccupations. Il s'intéresse surtout à ses organes génitaux, à son pénis si c'est un garçon, à son clitoris si c'est une fille et il s'aperçoit qu'en les touchant il en retire une sensation agréable. Les organes génitaux deviennent donc la 3e zone érotogène de son développement psychosexuel.

A la même époque, l'enfant commence à s'intéresser à ce qui différencie les sexes et voit que la conformation des individus est dissemblable. Ces découvertes conscientes sont approximativement les mêmes chez les filles et chez les garçons et suivent des normes presqu'identiques mais, à ce stade du développement, les voies se séparent, d'après Freud, et cette différence va imprégner le subconscient du sujet.

Pour le garçon, la tension qu'il éprouve pendant la phase génitale accroit son amour pour sa mère. Son père lui apparaît comme un rival. Il pare sa mère de toutes les qualités et se montre très romantique avec elle! Très sérieusement, d'ailleurs. Il y a tant de petits garçons qui déclarent gravement à leur mère: « Je t'épouserai quand je serai grand »! Cette rivalité entre le fils et le père pour avoir l'exclusivité de l'amour de la mère s'appelle « le complexe d'Oedipe ».

Oedipe, roi de Thèbes, connut un destin tragique. Il tua son père, qu'il ne connaissait pas, puis épousa sa mère, ignorant qu'elle l'était. Dans son « *Oedipe-Roi* », Sophocle met en scène la découverte que fait Oedipe de sa véritable origine.

Malgré les sentiments d'amour et d'estime qu'il porte à son père, le petit garçon aimerait le remplacer dans l'affection de sa mère et l'y supplanter. L'impossibilité de réaliser ce désir peut provoquer en lui un sentiment de frustration.

Aussi l'enfant se sent-il coupable et craint-il la colère de son père: cette crainte peut devenir panique chez un enfant si petit. Il s'imagine que son père pourrait le châtrer pour le punir... Pourtant il ignore tout de cette mutilation, dont on ne l'a jamais menacé, mais déraisonnablement il pense que pareille chose pourrait bien lui arriver. Il a remarqué que les filles n'ont pas de pénis et a pu en conclure que chez elles ce membre a été coupé ou a disparu. Il donne une grande importance à son pénis, qui le fait ressembler à son père et indique qu'il est du sexe masculin. Or, s'il n'avait plus de pénis, comment pourrait-il envisager d'entrer en compétition avec son père, tous autres faits mis à part?

A la fin de la phase génitale, le jeune garçon a donc l'impression qu'il court le risque d'être châtré, et préfère renoncer aux sentiments exaltés qu'il voue à sa mère comme à la rivalité qui l'opposait à son père. Né de son amour pour sa mère et de sa haine pour son père, son sentiment de culpabilité évolue heureusement vers le besoin de s'identifier à son père et de le prendre comme exemple viril.

Comme nous l'avons dit, les sensations de la fillette se concentrent sur son clitoris. Quand elle touche cet organe, elle en ressent du plaisir et une détente émotionnelle. Au début de cette phase ses sentiments l'attachent encore entièrement à sa mère mais lorsqu'elle se met à comparer sa conformation à celle des petits garçons, elle s'aperçoit qu'elle n'a pas de verge et en veut à sa mère de l'avoir privée de cet organe qu'elle envie... Elle est déçue et éprouve un sentiment de privation, de frustration.

Pour trouver du réconfort elle se tourne alors vers son père qui, lui semble-t-il, pourrait lui donner cette verge qu'elle aimerait avoir, et pourrait lui donner plus tard un enfant. Pendant cette période, si le garçon entre en conflit avec son père, la fillette se sent la rivale de sa mère.

Les parents doivent se montrer affectueux et compréhensifs. Vis-à-vis de leurs petits qui traversent cette période en extériorisant leurs sentiments d'amour et de jalousie. En grandissant, les enfants modifient d'eux-même le comportement qu'ils on envers leurs parents. Le garçon s'efforce de ressembler à son père, dont il admire la virilité. Il n'entretient plus les mêmes sentiments exaltés et romantiques pour sa mère, mais il lui témoigne toujours beaucoup de tendresse. L'attitude de la fillette, hostile envers sa mère, disparaît aussi, mais elle continue à témoigner beaucoup d'attachement à son père.

Le processus de maturation qui permettra à l'enfant de discerner clairement ce qui est féminin et ce qui est masculin se développe pendant cette phase génitale. Dès que le garçonnet commence à s'identifier à son père et à l'imiter, il commence à jouer son rôle de mâle et affirme sa masculinité.

La fillette, après avoir admis qu'elle n'aura jamais de verge et que son père n'y peut rien, se console à l'idée de l'enfant qu'elle aura un jour et accepte son rôle de femme, passif et réceptif. Ces deux rôles bien distincts reflètent dans le cadre de la sexualité tout le problème de la féminité et de la masculinité.

Pour la plupart des enfants, la phase génitale se déroule sans heurts. Il existe pourtant certains cas où le complexe d'Oedipe ne disparaît pas et où il continue à jouer un rôle dans la vie de l'enfant devenu adulte. Sa vie affective se limite à une existence étroitement liée à sa mère ou, si c'est une fille, dans l'orbite de son père. Cet échec sentimental provient d'une confusion entre les sentiments de la phase génitale et ce qui donne son importance à l'amour. Ces sentiments se retrouvent évidemment dans l'amour qu'éprouve l'adulte, mais ils n'en sont qu'un fragment et non le composant exclusif ou le plus important.

L'enfant vient donc de commencer ses découvertes sexuelles mais ses idées concernant la nature des relations sexuelles sont tout à fait fausses. Il ne peut comprendre les relations qui existent entre les sexes que d'après ses expériences personnelles. Il croit encore que tout le monde lui ressemble et s'imagine que les autres pensent comme lui, sentent de même et réagissent comme il le fait.

Pendant sa période orale, l'enfant a appris à téter, à manger et à mordre.

Pendant sa période anale, il a appris à uriner et à aller à selle en se contrôlant.

Pendant sa phase génitale, il a découvert qu'il pouvait trouver certaines satisfactions sensorielles et les exprimer.

Comme il ne possède pas encore la faculté de penser de façon abstraite, l'enfant de 3 à 6 ans se fait des idées absolument fausses des relations qui s'établissent entre les sexes. Il ne comprendrait d'ailleurs rien à une explication détaillée de la réalité.

Ceci nous amène à parler de la masturbation. Il est regrettable de constater que certains parents croient bien faire en brandissant à ce sujet l'épouvantail de la castration, menaçant leur enfant pour l'empêcher de s'y livrer, de couper le membre « fautif ». L'intérêt que certains enfants manifestent à cet âge pour leurs organes génitaux trouble beaucoup de parents. La masturbation leur paraît un péché ou, en tout cas, une habitude néfaste. Actuellement on envisage que cette pratique est une phase naturelle du développement sexuel, ce qui est exact. La manipulation des parties génitales par l'enfant et la masturbation chez l'adolescent correspondent à un changement glandulaire, à un éveil de l'instinct.

La plupart des parents le savent bien, mais refusent simplement de l'admettre. Si l'on veut vraiment aider ses enfants à se développer harmonieusement et sainement, il faut commencer par se libérer l'esprit de toutes les idées fausses concernant la masturbation.

L'adulte qui voit un enfant toucher ses organes génitaux réagit en adulte et y attache une signification sexuelle, tandis que l'enfant n'y porte qu'un intérêt tout physique, qu'il trouve naturel de satisfaire comme n'importe quel besoin. Par les satisfactions intimes qu'elle apporte, la masturbation joue d'ailleurs un rôle positif dans la maturation sexuelle de l'individu.

Passée la toute petite enfance, il est bien évident que l'enfant ne doit pas toucher ses organes génitaux en public, et on le lui expliquera en lui disant que cela ne se fait pas, pas plus que de se ronger les ongles ou de se mettre les doigts dans le nez.

Il est maladroit de lui interdire cette pratique en prétextant qu'elle est mauvaise ou nuisible: ainsi lui donnerait-on le sentiment que le sexe est chose mauvaise et il courrait le risque, parvenu à l'âge adulte, d'être faussé sexuellement.

Il est naturel que les sensations érotogènes se concentrent sur les organes sexuels — pensons à leur rôle dans la reproduction — et il faut éviter d'y rattacher toute idée de mal ou de péché. Ces besoins naturels refoulés sont souvent la cause d'un déséquilibre de l'adulte et peuvent conduire à la frigidité et à l'impuissance.

Mais tolérer la masturbation ne veut pas dire l'encourager. L'enfant qu'on ne gronde pas parce qu'il se masturbe ne recourt pas plus souvent à cette pratique qu'un autre à qui on la défend sévèrement. Cette tolérance tient compte de la réalité, tandis que l'interdiction a pour seule conséquence de donner à l'enfant, chaque fois qu'il désobéit, un solide complexe de culpabilité.

La phase latente

A la fin de la phase génitale, entre 6 et 10 ans, débute chez l'enfant la phase latente de son développement psychosexuel. Il continue à s'intéresser aux problèmes sexuels mais ce thème n'a plus une place aussi grande dans ses préoccupations émotionnelles.

L'activité sexuelle est remplacée par une activité de groupe, ou prend la forme de jeux érotiques ou d'exhibition des organes sexuels. Les goûts ne s'attachent plus à une personne bien déterminée, tels le père ou la mère, à la phase génitale, ou vers un ami ou une amie, comme cela sera le cas à la puberté. Le développement psychosexuel ne progresse plus guère; il se stabilise; il ne se modifie pas beaucoup; il persiste. L'horizon intellectuel s'élargit et la curiosité de l'enfant porte sur d'autres domaines. Reculent à l'arrière-plan le concept familial et sa véritable signification, ainsi que la dépendance qui lie l'enfant à sa famille. C'est l'âge de la camaraderie, où les amis et les opinions qu'ils professent comptent avant tout et absorbent tout son intérêt. Plus jeune, il s'appuyait sur l'opinion de ses aînés et disait: « Maman dit que... » ou: « Mon papa pense que... » Maintenant son propos débute invariablement par: « Pierre dit... »

Sa capacité de penser se développe: au lieu d'en référer à ses parents, l'enfant réfléchit et résout lui-même ses problèmes quotidiens.

A 6 ans, quand il va à l'école, l'enfant moins préoccupé par les questions sexuelles peut consacrer toute son énergie à l'étude. Son développement cérébral le pousse à s'intéresser aux réalités, dans le domaine sexuel également. Il compare à celles de ses parents les réponses que lui font ses professeurs et ses amis. C'est pourquoi il est primordial que les parents répondent franchement aux questions des enfants car, selon ce qu'ils diront, ils auront ou n'auront pas leur confiance. Le rôle qu'ils joueront dans la vie des adolescents se fixe dès ce moment-là.

Les enfants de 6 à 10 ans jouent inlassablement avec leurs camarades du même âge. Ils créent de nouvelles aventures, de nouveaux épisodes et découvrent peu à peu le monde de la fantaisie et de l'invention. Leur habilité physique se développe et ils se plaisent de plus en plus aux jeux de compétition et d'adresse. La compréhension et la sympathie qu'ils éprouvent pour leurs amis grandissent. Ils apprennent à aimer avec altruisme, et non plus seulement égoïstement. Leur sûreté d'eux-mêmes s'accroît. En tout, ils veulent ressembler à leurs camarades, non seulement dans leur façon de s'habiller mais en partageant les mêmes centres d'intérêt, les mêmes activités, les mêmes jeux. L'individualité cède le pas à la vie en groupe qui donne aux enfants de cet âge un sentiment de sécurité et de protection.

Les camarades que se choisit l'enfant sont en général du même sexe; il ne s'intéresse donc guère à l'autre sexe voire lui témoigne une certaine hostilité. Les garçons et les filles se moquent les uns des autres, comme s'ils sentaient qu'ils appartiennent à un monde différent, plus physique que psychique.

Sentant leur influence diminuer, certains parents se raccrochent à leur enfant, ce qui nuit à ses efforts pour se créer son petit monde personnel. L'enfant ne leur échappera pas s'ils gardent assez d'influence sur lui, mais le laissent, en ménageant sa susceptibilité, s'organiser avec quelque indépendance.

D'autres parents s'inquiètent du désintérêt de leur enfant pour l'autre sexe et cherchent à remédier. Ils taquinent leur fille en lui parlant de son « bon ami » et leur fils à propos de « la fillette d'à côté ». Cette tactique est presque toujours vouée à l'échec: l'enfant comprend mal ces taquineries et lorsqu'il aura l'âge de s'intéresser à l'autre sexe, il pourra s'en détourner en se souvenant des plaisanteries dont il a été l'objet.

Tout vient en son temps: un beau jour les glandes sécrètent leurs hormones et l'enfant choisit alors le comportement naturel de son sexe. Mais il y a aussi les parents qui se réjouissent d'une maturité sexuelle retardée. Ils évitent ainsi soucis et tension émotionnelle. Ils désirent éterniser ce retard et disent à qui veut l'entendre que leur enfant est un « bon garçon » ou une « brave fille ». Lorsque leurs manoeuvres réussissent, l'enfant, afin de plaire plus sûrement à ses parents, perd tout intérêt pour les questions sexuelles. Ce genre d'éducation retarde souvent l'éclosion de la puberté.

La situation évolue ainsi jusqu'à ce que l'enfant atteigne sa 10e année. Les parents constatent que leur enfant a beaucoup grandi, qu'il est bon élève, raisonnable et aimable. Ils s'imaginent facilement que tout va pour le mieux dans le meilleur des mondes et qu'ils méritent les plus grands éloges pour leur réussite éducative...

Sur ces entrefaites débute l'adolescence.

L'adolescence (puberté)

L'adolescence s'étend de la 10e à la 18e année environ. Pour une meilleure compréhension du sujet, nous la diviserons en:

1. Pré-adolescence, de 10 à 12 ans,
2. Prime adolescence, de 13 à 14 ans,
3. Adolescence proprement dite, de 15 à 18 ans.

On note des variations d'un individu à l'autre et la puberté commence à des âges divers.

PRÉ-ADOLESCENCE

Pendant la phase latente du développement psychosexuel, la personnalité complète de l'enfant se stabilise, selon les émotions ressenties, et en corrélation avec la croissance de sa taille. Sa maturité psychique augmente et il éprouve un intérêt accru pour les contacts humains. Le développement psychosexuel se ralentit et l'intérêt pour les choses du sexe régresse.

Mais au cours de la pré-adolescence les hormones entrent en action et activent le processus de maturation sexuelle. L'équilibre moral de la phase latente est rompu et l'enfant qui grandit se sent dépassé par des émotions sexuelles neuves et inattendues pour lui. Il ne sait ni comment réagir à leur endroit, ni comment les extérioriser.

A ce stade du développement, la fillette est nettement en avance sur le garçon. Elle est souvent plus grande, plus forte et plus mûre physiquement, ce qui déclenche parfois, par contre-coup, un sentiment d'infériorité chez le garçon.

D'ailleurs les garçons de cet âge sortent entre eux et ne s'intéressent guère aux filles. Mais celles-ci, qui sont en avance sur eux dans leur développement biologique, leur montrent un intérêt plus marqué. A côté de la « chasse à l'homme » à laquelle se livrent certaines femmes... la « chasse aux garçons » est bien naïve et bien conformiste. En l'absence d'émotivité sensuelle il ne s'agit que d'une curiosité sexuelle, et non pas d'un désir de rapports sexuels.

Durant cette pré-adolescence, chacun tend à idéaliser son sexe et les garçons comme les filles nouent de solides amitiés. L'ami (l'amie) intime partage tous les secrets. Chez les garçons comme chez les filles l'intérêt érotique se porte sur les caractéristiques de leur sexe, ce qui donne parfois lieu à des exhibitions ou à des séances de masturbation à deux ou en groupe. Mais habituellement ces épisodes qu'on pourrait qualifier d'homosexuels n'ont pas d'influence sur le développement hétérosexuel et ne le retardent pas.

Au cours de cette pré-puberté l'enfant prend confiance en sa capacité de juger et de discerner pour ses décisions personnelles. Les parents doivent l'encourager dans ce sens, car cette confiance en soi est salutaire, et s'il le faut, ils l'épauleront dans ses décisions raisonnables. Mais ils doivent éviter de faire pression pour qu'il endosse des responsabilités encore trop lourdes. Quand ils seront adultes, garçons et filles devront savoir prendre des décisions et plus ils s'y seront habitués pendant leur adolescence, plus la chose leur semblera aisée.

Evidemment l'enfant ne devient pas adulte d'un jour à l'autre. Pendant cette période transitoire il a besoin des conseils, de l'aide de ses parents, de savoir qu'il peut s'appuyer sur eux. C'est en sachant qu'il peut compter sur ses proches qu'il apprendra à renoncer aux petites envies passagères pour mieux atteindre un but plus lointain. Le père et la mère sont naturellement les maîtres à penser de l'enfant et il leur appartient de lui inculquer la conduite qu'il doit adopter. L'enfant pose des questions et juge ses parents sur leurs réponses, car le temps est fini où pour l'impressionner, il suffisait d'un « Papa l'a dit », ou d'un « C'est ainsi » !

Les parents ne peuvent imposer leurs principes, leur manière de voir, de vivre, que pendant une période limitée et avec un succès tout relatif. C'est l'enfant qui décide en dernier ressort s'il accepte de se rallier à ces principes. Mais il respectera plus aisément les règles de vie dont il comprendra la raison. L'enfant prendra de bonnes résolutions d'autant mieux qu'il verra ses parents vivre leur doctrine, prêcher d'exemple. Toute une encyclopédie de conseils de morale ne vaudra jamais un exemple vécu.

Malheureusement certaines règles de vie, certaines valeurs admises touchent au domaine sexuel. Les parents, comme les enfants d'ailleurs, perdent de ce fait une vue claire et objective des choses. Pour qu'une solution satisfaisante intervienne, il faudra que la raison prenne le pas sur la contrainte.

Probablement parce qu'ils ont déjà passé le cap de leur vie sexuelle active et ont pris un certain recul à cet égard, parents et éducateurs professent souvent dans ce domaine des idées conservatrices. Mais pour l'adolescent le problème brûlant est tout à fait actuel et creuse un fossé entre les générations.

L'adolescence est, par essence, l'âge de la révolte contre l'autorité des parents, surtout dans la dernière phase de son évolution. Si les enfants sentent que leurs parents font surtout obstacle à leur vie sexuelle, c'est sur ce point que se cristallisera leur révolte.

LA PRIME ADOLESCENCE

Entre 13 et 15 ans, la maturité biologique s'accélère et l'apparition des caractères sexuels secondaires se manifeste.

Les filles commencent à avoir leurs règles, leur poitrine se développe, leur pubis se couvre de poils et tout leur corps se féminise.

La voix des garçons mue et leur barbe commence à pousser. Le pénis et les testicules prennent du volume et de l'ampleur et, selon leur développement, sont objet de fierté ou de soucis. Les rêves érotiques sont accompagnés d'érections et d'émissions nocturnes, et à certains moments le garçon éprouvera le désir très vif de se masturber. Mais le développement psychologique ne suit pas au même rythme, et c'est là tout le problème de l'adolescent qui grandit sans mûrir encore. On pourrait dire, pour faire image, qu'il est plus grand extérieurement qu'intérieurement!

L'adolescent passe la plus grande partie de son temps avec des camarades de son choix et il prend une conscience aigüe de son appartenance à une immense collectivité, et non plus seulement à une famille. Il rêve de mener sa vie à sa guise, mais ne s'en ouvre pas à sa famille, car les nécessités matérielles l'y rivent.

Plus jeune, la fille était seule à s'intéresser aux garçons. Maintenant c'est au tour du garçon d'être attiré par l'autre sexe. Il devient coquet, se soigne davantage sans qu'on ait besoin de le lui rappeler, se soucie de sa toilette. Mais l'attirance mutuelle des deux sexes est encore diffuse et ne se fixe pas sur un individu déterminé. La jeune fille et le jeune homme rêvent d'un adolescent de l'autre sexe, mais sans contours ni caractéristiques bien précis.

Quand jeunes gens et jeunes filles se trouvent réunis, chacun s'essaye aux premiers balbutiements de l'amour: on cherche à s'affirmer, à scruter ce que cache la personnalité de « l'autre ». Pour remplir ce nouveau rôle les adolescents cherchent instinctivement à modeler leur conduite sur celle des personnes qu'ils connaissent. Ils observent la conduite de leurs parents, l'un envers l'autre et vis-à-vis des personnes du sexe opposé; ils observent d'autres adultes qu'ils connaissent, ou s'inspirent de ce qu'ils voient à la télévision, au cinéma ou dans les journaux illustrés. Ces observations leur permettront de se faire une règle de conduite vis-à-vis de l'autre sexe, afin de savoir comment réagir, comment appâter leur partenaire.

Pendant la prime adolescence tout ce qui touche au domaine sexuel, désirs ou craintes, prend de plus en plus d'importance. Cette tension émotionnelle est provoquée par l'activité plus grande des hormones sexuelles, et aussi par un phénomène bio-psychologique; une émulation se crée entre la croissance biologique et la transformation psychique, comme si elles s'encourageaient l'une l'autre à voir dans le sexe le symbole de leur croissance.

L'adolescent n'est pas suffisamment mûr pour oser aborder une jeune femme et la tension émotionnelle qu'il éprouve l'entraîne fatalement à la masturbation. A ce stade, il ne s'agit plus de la simple manipulation des organes génitaux — comme c'était le cas chez l'enfant — mais d'une pratique qui s'accompagne d'images érotiques.

Le jeune homme éprouve une bouffée intense de tendresse et d'affection et lui cherche un objet. Le petit enfant avait appris à aimer sa mère et son entourage; l'adolescent retrouve ces sentiments pour une personne de l'autre sexe qu'il choisit entre toutes. Ses sentiments évoluent selon un processus qui sera le même tout au long de sa vie sexuelle, et qui prouve qu'il est amoureux: son coeur bat plus vite, son souffle se précipite, il ressent une tension et une excitation diffuses. D'année en année ces stimuli se préciseront et motiveront son choix. Dans les groupes de jeunes, des couples se forment peu à peu. A ce stade de leur développement, ils vivent dans un climat d'anxiété et d'instabilité lié aux phénomènes sexuels, à la pratique de l'onanisme, à la menstruation, à la détérioration des liens familiaux (c'est le moment où les parents imaginent « le pire » et s'imaginent que leur enfant court à sa perte...) C'est l'âge où les jeunes parent leurs aventures de romantisme et de sentimentalisme. Un amour qui débute alors peut très bien apporter un profond bonheur, même si les adultes en contestent la valeur et le sérieux.

FIN DE L'ADOLESCENCE

Au stade suivant de leur adolescence, le jeune homme et la jeune fille fixent définitivement leur intérêt sur le sexe opposé, et on voit disparaître les préférences pour la mère ou pour le père, tout comme les tendances homosexuelles refoulées. Sexuellement l'adolescent possède maintenant une véritable personnalité. L'onanisme ne lui suffit plus et il cherche à diriger et à sublimer ses émotions. C'est l'époque où les jeunes se passionnent pour les discussions intellectuelles, la philosophie, la religion et cherchent un dérivatif dans les activités intellectuelles ou sportives. Grâce au processus psychologique de la sublimation, le surplus de forces inemployées ou inutiles se transforme en énergie précieuse qui va permettre aux jeunes d'atteindre leur but. L'aide des parents et de l'entourage peut être précieuse, surtout s'ils motivent leurs conseils par le rappel d'expériences qu'ils ont faites eux-mêmes.

Vers la fin de l'adolescence, les jeunes se détachent de leur milieu familial, leur personnalité se forme et ils cherchent à affirmer leur indépendance. L'opinion de leur famille ne pèse plus lourd dans la balance et ils adoptent plutôt les idées de leurs amis et de leurs amies. A ce stade le jeune homme n'écoutera plus les conseils et choisira lui-même sa voie — dans sa vie sexuelle également. S'il ne manque pas de confiance en soi, s'il admire l'exemple de ses parents, il prendra sans doute modèle sur eux et évoluera dans le sens de l'éducation qu'on lui a donnée. Mais cette liberté toute neuve n'est pas sans embûches et elle lui fera toucher du doigt les limites de sa science et de son expérience.

Le comportement des adolescents devient capricieux et ambigü: un jour on a devant soi un adulte raisonnable — ses parents respirent de soulagement! — et le lendemain un grand naïf qui remet tout en question!

A cet âge, l'adolescent est un être changeant, divers, qui se cabre facilement et met à rude épreuve la patience de son entourage. Tantôt il cherche la compagnie et ne quitte plus ses amis, tantôt il s'enferme seul après avoir grommelé un vague bonjour.

Le comportement de la jeune fille est aussi imprévisible. Un jour c'est le désordre incarné, le lendemain elle se lance à corps perdu dans les rangements en reprochant à sa mère de faire son travail superficiellement. Parfois elle fait la révoltée et défend son indépendance dans les plus petits détails, mais une volte-face suffit à en faire une personne douce et prévenante, qui propose spontanément son aide.

Un matin le jeune homme se sent de l'énergie pour trois, le lendemain il est « à plat », amorphe, indifférent. Ces sautes d'humeur ont souvent leur incidence sur les résultats scolaires, sur le choix d'une profession, d'une petite amie. Au gré des jours se transforme l'idée qu'il se fait de sa valeur et de ses chances.

En cette fin d'adolescence, garçons et filles sont la proie d'activités sexuelles involontaires telles que: émissions nocturnes, rêves érotiques, menstruation, tout en s'éveillant à la vie sexuelle volontaire, sur laquelle ils ont une influence, par exemple: la masturbation, les jeux de l'amour et les relations sexuelles proprement dites. Mais ces activités peuvent désormais avoir de graves conséquences. Autrefois une bêtise se payait d'une taloche ou d'un regard sévère dont l'enfant connaissait bien la signification et la portée. Mais avec la maturité sexuelle la « bêtise » prend d'autres proportions et se solde par une grossesse ou par une maladie vénérienne qui accule l'adolescent à une impasse.

Dans l'entourage on table sur le fait que le jeune homme ou la jeune fille vont être adultes et se marieront pour avoir à leur tour des enfants. Les choses se déroulent heureusement ainsi dans l'immense majorité des cas.

Mais il arrive que certains êtres demeurent d'éternels adolescents: le sexe opposé les attire. mais leur attention ne se fixe jamais définitivement sur quelqu'un en particulier. Ils écartent toute liaison durable, trop peu sûrs d'eux-mêmes pour envisager pareille responsabilité. S'il ne s'agit que d'un manque de maturité émotionnelle, ils peuvent parfaitement faire un heureux mariage, quand cette lacune a disparu.

Tout être humain passe obligatoirement par les différents stades du développement sexuel que nous décrivons ici. Mais le résultat diffère d'individu à individu. Si on contrecarre trop la nature, le développement sexuel s'en ressent: il se ralentit ou s'interrompt, et ces difficultés ne font qu'augmenter au stade suivant, causant des troubles graves, voire des anomalies.

Le problème est simple: l'être humain qui, dans le domaine sexuel et celui de l'amour, a atteint l'âge des responsabilités fondera ses exigences et ses besoins sur l'expérience qu'il a acquise. L'éducation qu'il a reçue dans ce domaine, le milieu où il a été élevé influeront également sur son choix.

Education sexuelle

On ne nie plus aujourd'hui la nécessité d'une éducation sexuelle. Mais on peut se demander quand, comment et par qui cette éducation doit être donnée. En premier lieu, c'est évidemment le rôle des parents, puisque c'est le cercle de famille qui révèle à l'enfant les premiers aspects de la vie. Dès que l'enfant découvre ses organes sexuels, cette éducation doit commencer. La réaction maternelle, son regard et son attitude en disent plus à l'enfant que de longs discours.

Certains parents sont très bien préparés, en connaissance et expérience pour donner à leurs enfants une bonne éducation sexuelle. D'autres, souvent à cause de l'éloignement que témoignaient leurs propres parents vis-à-vis de ces questions, ne sont guère qualifiés pour cette tâche. En général, la fausse pudeur se transmet d'une génération à l'autre.

Les enfants sont avides de connaissances et posent des questions. Il faut donc leur dire la vérité dans un langage qu'ils peuvent comprendre. A l'âge de 5 ans, quand l'enfant demande d'où viennent les bébés, il suffit de répondre: « Ils grandissent dans leur maman, où une place leur est réservée ». A cet âge-là, quelques données claires suffisent et il est inutile de se perdre dans les détail. Comme il a obtenu une réponse satisfaisante à cette première question, l'enfant s'adressera plus tard à la même source lorsqu'il voudra des renseignements supplémentaires.

Les enfants posent parfois des questions embarrassantes qui interloquent leurs parents et mettent à dure épreuve leurs facultés de répartie. Mais les enfants n'éprouvent ni gêne ni honte devant les questions sexuelles et si la personne qu'ils interrogent ressent un certain malaise, l'enfant sait tout de suite qu'il y a là quelque chose de gênant qu'il ignore. Les parents qui réagissent mal peuvent fausser à vie le comportement de leur enfant: plus rien n'effacera cette impression, qui s'est inscrite indélébilement et que toutes les tentatives ultérieures n'arriveront plus à corriger. Nous citerons à ce propos un exemple qui nous a été soumis: celui d'une classe de collégiens maladroitement instruits des secrets de la naissance et qui refusèrent tout net d'admettre qu'ils avaient été conçus et étaient nés comme leur professeur le prétendait!

Dès qu'on passe à l'étude du corps humain, on doit étudier le système de la reproduction comme les autres organes du corps. C'est peu avant la 11e année que l'ouverture d'esprit des enfants se prête particulièrement bien aux explications de la vie sexuelle. La réceptivité de l'enfant atteint alors une sorte de sommet, et il ignore les sentiments de honte, de doute, d'angoisse qui sont le lot de l'adulte. L'adolescent insuffisamment informé peut ressentir des peurs exagérées ou perdre sa confiance en lui. Il appartient donc à l'école d'organiser des leçons d'information avec des responsables à la hauteur de leur mission.

Quant à la vie sexuelle, l'attitude varie beaucoup d'un être à l'autre, car elle dépend de l'enseignement reçu et du milieu social. Or cette attitude conditionnera le comportement de l'individu et sa vie sexuelle future. Une preuve scientifique est difficile à donner, mais il est certain que les jeunes qui sont clairement et complètement informés des questions sexuelles ont plus d'entregent et de sûreté de soi dans leur vie de tous les jours. Par contre l'ignorance de ces questions provoque souvent une attitude hésitante, craintive et timorée: ces êtres courent le risque de s'attacher trop sérieusement au premier garçon ou à la première fille venue.

Les adolescents luttent pour contrôler leur vie sexuelle. Les parents doivent donc inculquer à leurs enfants une saine échelle des valeurs, non seulement en paroles, mais en prêchant d'exemple. On doit leur prouver par des arguments frappants la nécessité absolue de certains principes et leur valeur. L'église doit aussi ouvrir des colloques pour discuter de principes moraux et de leur portée philosophique. Il est bien évident que les règles de vie et les principes moraux qu'on essaie d'imposer aux jeunes, à leur corps défendant, n'entraînent qu'une obéissance formelle ou une reconnaissance abstraite, et perdent toute chance d'être réellement appliqués.

La vie sexuelle et la société

Quel est l'enseignement que la société donne à l'adolescent? Ce qui saute surtout aux yeux, c'est que la publicité utilise constamment, directement ou indirectement, des symboles sexuels. C'est la sexualité qui est la principale source de revenus des publications populaires, du cinéma et de la télévision. Cette exploitation abusive des appétits sexuels normaux n'est d'ailleurs pas destinée à exacerber les désirs sexuels mais à les convertir et à les conditionner en vue de l'achat d'un produit qui symbolise le sexe.

Cette tendance — qui s'est généralisée — ne peut échapper à l'observateur, même superficiel. Il y a une profonde contradiction entre les principes enseignés par les adultes et ceux qu'ils appliquent. De même pour juger de la vie sexuelle des humains applique-t-on des échelles de valeurs très différèntes.

Ainsi met-on le jeune homme en garde contre la prostitution, mais son père (entre hommes...) et surtout ses camarades lui conseillent d'y avoir recours, car ils estiment que c'est un excellent moyen « de lui ouvrir les yeux... » Peu à peu l'adolescent apprend que pour satisfaire les appétits sexuels il y a nombre de moyens et que chacun s'y livre. Ce qu'un milieu social réprouve est admis par l'autre: dans l'un on condamne ce qu'on appelle « les mauvaises pensées » et, dans l'autre, on se sent un homme quand on a eu des rapports sexuels avec une femme. Tout ce que notre société actuelle offre aux jeunes est un tissu de contradictions, de questions sans réponses et de fourvoiements.

Il est bien entendu que chaque adolescent a ses idées sur l'amour, et que ses aspirations diffèrent. Celles-ci sont d'ailleurs le résultat de ses expériences au cours de son développement psychosexuel, de ses découvertes, de son éducation, de son milieu familial, de l'attitude qui y est adoptée vis-à-vis des questions sexuelles. Chaque être humain a des besoins sexuels différents de ceux de son voisin. C'est pourquoi il est impossible d'établir une échelle des valeurs qui s'applique à tous les individus. Chacun devra instituer la sienne selon ce qu'il estime permis ou défendu.

Comment se satisfait le besoin sexuel

LA MASTURBATION (ONANISME)

On appelle masturbation la satisfaction volontaire des appétits sexuels, généralement par manipulation des parties génitales.

Aux Etats-Unis, plus de 90 % des hommes au-delà de 15 ans se livreraient à l'onanisme, sous une forme ou sous une autre. Certains hommes ne se masturbent qu'une ou deux fois dans toute leur existence tandis que d'autres, pendant une période prolongée, s'y adonnent plus de 20 fois par semaine. Dans la prime adolescence la fréquence de cette pratique est de 2 à 3 fois par semaine. 60 à 80 % des femmes se masturbent jusqu'à l'orgasme, mais généralement de 2 à 3 fois par mois au plus. Pour les jeunes la masturbation est, avant le mariage, la principale source de satisfaction sexuelle.

Les médecins pensent, en grande majorité, que la masturbation n'entraîne aucun trouble physique. Quelques sommités médicales mettent en garde contre les excès, en précisant bien qu'il ne s'agit nullement d'excès physiques. Comme beaucoup d'autres fonction physiologiques la capacité de désir érotique est régie par un mécanisme parfait: dès que le taux des capacités physiques baisse, le désir sexuel disparaît. Ceci se vérifie aussi pour la masturbation. L'homme n'atteint en effet l'orgasme que si son pénis est en érection et pour que l'érection survienne il faut qu'il y ait désir érotique. Il est donc impossible de dépasser la limite de ses forces physiques.

Les excès que les médecins redoutent sont d'ordre psychique. Dans ce sens la masturbation est excessive lorsqu'elle ne sert plus simplement d'exutoire aux besoins sexuels et devient un besoin moral, lors de soucis scolaires ou professionnels, de rejet par des collègues de travail ou par des condisciples, ou lorsque cette pratique sert de refuge contre des sentiments d'infériorité ou de haine, lors de chagrins d'amour, d'une mauvaise entente conjugale ou d'une inadaptation vis-à-vis de l'entourage.

Se livrer à cette pratique plus qu'on n'en éprouve réellement le désir est un symptôme d'excès psychologique par onanisme.

Les adolescents craignent en général de se laisser trop souvent aller à cette pratique et s'efforcent de se limiter à une ou deux expériences par semaine. Puis, sous l'influence des excitants sexuels, ils perdent leur maîtrise et craignent de devenir esclaves de ces mauvaises habitudes.

Ces craintes, pour une part, proviennent d'une méconnaissance du problème. Il y a encore de nos jours des gens qui croient que la masturbation peut « rendre fou ». Cette croyance a d'ailleurs une origine car certains pensionnaires d'asiles psychiatriques pratiquent l'onanisme en public. Il s'est donc produit une association d'idées entre deux faits étrangers l'un à l'autre: comme le dit l'adage latin « *post hoc ergo propter hoc* » (à la suite de cela, donc à cause de cela).

De plus on pense souvent que la masturbation est à l'origine de l'acné, de l'amaigrissement, de la calvitie, de la fatigue ou de la faiblesse des yeux. Les garçons font souvent des expériences pour voir si les masturbations fréquentes ont une influence sur les imperfections de la peau. Quoi qu'il en soit, on peut affirmer qu'il n'y a jamais le moindre lien entre une maladie et la masturbation. A ce sujet certains parents contribuent à accréditer des opinions erronées. Ils pensent que cette pratique pourrait nuire à leur enfant et ils la sanctionnent de punitions graves. Peut-être aussi y voient-ils un signe de la maturité sexuelle de l'enfant, qu'ils répugnent à admettre, consciemment ou inconsciemment. Les pères surtout voient dans la maturité sexuelle de leur fils l'ébauche d'une concurrence.

Les individus qui pratiquent la masturbation disent qu'ils se sentent ensuite déprimés, ce qui se vérifie pour toute émotion érotique. L'imagination, qui accompagne toujours la masturbation et l'engendre d'ailleurs, doit céder le pas à la réalité, prouvant bien que tout s'est passé uniquement dans le domaine de l'imaginaire.

La masturbation n'est donc qu'un pis-aller, une maigre consolation lorsque des relations sexuelles normales ne sont pas possibles. Les réactions physiques qui en résultent, chargées de plus ou moins d'intensité, peuvent se produire à l'occasion d'une partie passionnante de football ou à la projection d'un film. L'excitation produite par la masturbation fait monter la pression sanguine et accélère les mouvements du coeur. Il est donc normal qu'une dépense émotionnelle et physique se produise. On dit souvent que des signes physiques trahissent l'onanisme: mains moites, acné, calvitie, yeux cernés, etc. Cette affirmation est dénuée de bon sens! Comment pourrait-on s'apercevoir que quelqu'un s'est masturbé, qu'il se livre fréquemment à cette pratique ou savoir même s'il s'y adonne? Les plaisanteries plus ou moins poussées qu'on fait sur ce thème ne trahissent-elles pas un peu la voix du remords? Comme l'onanisme est extrêmement répandu on peut dire, sans grands risques de se tromper, que ceux qui en plaisantent sont précisément parmi ceux qui le pratiquent...

Les gens bien informés eux-mêmes ont parfois peur de prendre l'habitude de se masturber. La plupart des problèmes que pose l'onanisme proviennent non seulement de fautes d'éducation, mais relèvent encore d'idées religieuses qui flétrissent la masturbation et y voient quelque chose de mauvais et de honteux. Ce point de vue n'empêche d'ailleurs rien, mais il détermine des conflits de conscience souvent très graves. Celui-là même qui sait très bien que cet acte ne représente qu'une solution de rechange entretient souvent inconsciemment des idées contraires.

Habituellement, l'adolescent dépasse le stade de l'onanisme sans mal physique ni tort moral. D'instinct ou sciemment il recherche un acte sexuel plus normal car il sait qu'il traverse une période de transition dans laquelle l'imagination tient un rôle important: l'imagination sexuelle se fixe sur un individu de l'autre sexe avec qui il ne peut avoir de relations normales ou sur une idéalisation de celui-ci.

Quand l'imagination sexuelle a pour objet des relations sexuelles normales entre deux personnes de sexe différent, elle peut contribuer au développement psycho-sexuel de l'individu. Mais si l'imagination ne joue pas le rôle prépondérant pendant l'acte, il y a là un signe que l'intéressé doit être aidé médicalement pour surmonter un développement infantile qui empêche son épanouissement normal.

Les hommes se masturbent généralement en manipulant leur pénis (quelquefois en simulant la pression vaginale) ou en le frottant contre quelque chose. Il y a d'innombrables variantes.

Les femmes, surtout les célibataires, se masturbent du doigt en manipulant leur clitoris, et nullement en introduisant des objets dans le vagin, comme le prétend souvent la légende populaire. Les femmes mariées ou celles qui ont souvent des rapports sexuels se masturbent parfois le vagin mais elles recourent généralement à la stimulation du clitoris.

Chez certaines personnes, l'onanisme est devenu un véritable poids moral aussi nous demande-t-on fréquemment comment faire pour diminuer la fréquence de la masturbation. Généralement c'est une suite d'événements ou de conditions qui les stimulent érotiquement et les amènent à se masturber: histoires pornographiques, images licencieuses, pression urinaire, habits trop étroits qui compriment leurs organes génitaux (par exemple les shorts), lascivité de la danse, absorption de boissons alcooliques. Le meilleur conseil qu'on puisse donner, c'est d'éviter ces conditions ou de leur substituer autre chose. Par exemple si c'est la solitude qui incite à la masturbation, il faudra passer davantage de temps en compagnie. Il faut analyser les sentiments et les émotions qui engendrent le désir de se masturber et faire un effort pour interrompre ce déroulement.

Il faudra aussi rechercher pourquoi on se tracasse de cet onanisme. En période d'anxiété, la masturbation peut devenir très fréquente, qu'elle serve de compensation ou de remplacement. Souvent il suffit d'étudier calmement ce problème pour qu'il perde son acuité ou se trouve résolu. Si aucune amélioration ne survenait, il serait peut-être bon d'aller voir un médecin et de se confier à lui.

De toute façon, il ne faut voir dans la masturbation que ce qu'el est: une étape dans le processus du développement psychosexuel; un pis-aller temporaire en attendant mieux. Dans l'état actuel de notre société, c'est un stade normal et un état passager.

Certaines personnes se tracassent à l'idée qu'il leur sera difficile, une fois mariées, de ne plus se masturber (et en effet ce problème se pose parfois). Elles pensent qu'un acte qui les détend continuera à leur être nécessaire. Mais il n'y a aucune comparaison possible entre l'orgasme de la masturbation et l'orgasme des relations sexuelles, entre conjoints habitués l'un à l'autre, qui donne une satisfaction beaucoup plus grande. Certains hommes pensent aussi que la masturbation pourrait diminuer leur puissance sexuelle. Rien ne corrobore cette idée. Comme nous l'avons dit, cette pratique, quand des relations sexuelles ne sont pas possibles, sert le plus souvent d'exutoire aux désirs amoureux — à cause d'une grossesse, d'un voyage, d'une maladie — ou pour égaliser les différences qui existent entre les appétits sexuels de l'homme et ceux de la femme.

ERECTIONS ET ÉMISSIONS NOCTURNES

Les émissions nocturnes proviennent de rêves suscités par une certaine tension émotionnelle. Le jeune homme rêve qu'il est engagé dans une expérience sexuelle et, à un moment donné, survient l'orgasme. L'éjaculation se produit: c'est ce qu'on appelle « le rêve mouillé ». La jeune fille n'a pas d'éjaculation mais fait aussi des rêves sensuels, parfois accompagnés d'orgasme, mais plus rarement que le jeune homme.

Les rêves sensuels sont d'ailleurs courants; presque tout le monde en fait. Mais chez la jeune fille ils sont brefs, si bien qu'elle en chasse le souvenir et refuse d'admettre qu'elle les a faits. La fréquence de ces rêves varie suivant les individus et semble avoir une relation directe avec le potentiel de tension sexuelle, de désir, de provocation ou de stimulation dont le sujet fait l'expérience. Souvent ces rêves sont en cor-

rélation avec une irritation des organes sexuels: le rêveur a besoin d'uriner, ses vêtements sont trop serrés, sa peau est irritée à cet endroit, la
rêveuse a des pertes vaginales.

Il vaut mieux que les jeunes gens qui vont atteindre la puberté soient
exactement renseignés sur la nature de ces rêves. Il est souvent assez
difficile de différencier clairement le monde du rêve du monde réel.
En particulier lorsque la sexualité s'éveille.

Le jeune garçon sait bien faire la distinction entre l'amour qu'on a
pour une fiancée, un flirt, et celui qu'on porte à sa mère, à sa sœur.
Mais le monde du rêve peut abolir cette frontière, qui n'apparaît plus
clairement. Il peut donc lui arriver de rêver d'une aventure avec une
femme à qui, consciemment, il n'a jamais pensé. En soi, la chose est
assez troublante car ce rêve s'accompagne d'une éjaculation... Quand le
jeune homme a compris le mécanisme des rêves sensuels, ses craintes
disparaissent ainsi que le sentiment de culpabilité qui les suit généralement.

Il arrive souvent que les jeunes gens rêvent d'expériences sexuelles
avant de bien savoir comment ces rapports se déroulent; malgré leur
ignorance ils éprouvent l'orgasme au moment où, croient-ils, ils doivent
atteindre le summum du bonheur. Ils rêvent qu'ils caressent leur partenaire, qu'ils l'embrassent, mais non qu'ils la pénètrent de leur pénis.
Il est faux d'affirmer que c'est lorsqu'il n'y a pas d'autre porte de sor-
tie que se produisent les émissions nocturnes, l'homme se trouvant ainsi
satisfait. Les émissions nocturnes n'empêchent en rien d'autres manifestations, et vice versa. On peut avoir eu des relations sexuelles avant
de s'endormir et avoir une émission nocturne. La masturbation avant
de s'endormir peut être suivie d'une expérience similaire.

Il semble donc que ces rêves ressemblent à ceux de l'enfant, qui rêve
qu'il reçoit ce qu'il désire le plus.

Au cours de la 2e guerre mondiale, on fit une étude intéressante de ces
rêves. On mit des objecteurs de conscience à un régime diététique mi-
nimum. Au début leurs rêves portaient sur des sujets sexuels mais au
fur et à mesure que leur faim augmentait, ils rêvaient de plus en plus
de nourriture, le problème sexuel disparaissant totalement.

Au point de vue moral, il y a bien peu de choses à dire des émissions
nocturnes. On constate qu'elles se produisent, et voilà tout. On recommande parfois au jeune homme de libérer son esprit de toutes les
les pensées malsaines pour n'accueillir que les pensées pures et belles,

surtout au moment de se mettre au lit pour la nuit, afin d'éviter le plus possible ces rêves sensuels.

FLIRT ET « PELOTAGE »

La plupart des jeunes gens des deux sexes flirtent et se caressent ce qui va d'ailleurs de la simple pression de main et du baiser à la stimulation voulue des zones érotogènes. Ces caresses touchent surtout la poitrine et les organes génitaux et certains couples s'excitent mutuellement jusqu'à l'orgasme. Dans notre société un flirt aussi poussé remplace parfois les relations sexuelles.

Ce flirt s'engage surtout par curiosité d'un sexe pour l'autre, par une recherche qui a souvent été interdite dès l'enfance et qui est demeurée de ce fait insatisfaite. Ces pelotages éveillent les sens et apportent la preuve du penchant très net qu'on éprouve pour l'autre sexe. Le flirt est donc souvent un prélude aux relations sexuelles. C'est précisément cette issue que les parents redoutent pour leur fille, car ils se souviennent de leurs expériences de jeunesse et savent que leur crainte est légitime.

Un certain parallèle s'établit entre le flirt et la vie mondaine. Certains milieux professent des principes rigides quant aux limites permises. Pour y jouir d'une bonne réputation il est donc indispensable de vivre selon ses principes, d'y conformer sa conduite.

Souvent le flirt qui s'ébauche n'est pas dénué d'un peu de calcul car la jeune fille qui s'intéresse à un garçon et désire se l'attacher lui permet des privautés mais sans dépasser une certaine limite. Ce que la jeune fille autorise à son ami l'amène de plus en plus loin à chaque rencontre et elle doit avoir beaucoup de savoir faire pour évoluer sur la corde raide qui sépare le trop du trop peu...

Généralement les jeunes filles se fixent d'avance des limites que les jeunes gens, eux, cherchent obligatoirement à dépasser. Cette répartition des rôles laisse donc à la jeune fille la responsabilité de décider de l'avenir. Le jeune homme oublie trop volontiers qu'en fait les deux partenaires portent leur part de responsabilité.

Le flirt entraîne peu à peu à sa suite l'amour physique. Pour de nombreux couples les caresses sont le but de la rencontre et le plus beau moment de celle-ci. Les filles qui ont la réputation d'être « très larges d'esprit » dans leur vie amoureuse attirent autour d'elles une foule de garçons qui espèrent, avec elles, arriver plus facilement à leur but. Dans un certain sens cette attitude est révélatrice et témoigne d'une faim d'amour et de tendresse, mais elle découvre aussi un manque de volonté et une incapacité à développer d'autres aspects de sa personnalité. Si la jeune fille cède aux désirs de son partenaire, elle verra confirmé son pouvoir de séduction sur l'autre sexe. Mais cette victoire trop facile prive le jeune homme de la satisfaction de la conquête, il n'a pas le sentiment qu'il a conquis une jeune fille très « précieuse », il n'éprouve pas la crainte d'être évincé, ni le risque de devoir la disputer à un rival.

Il est impossible de déterminer le moment où le flirt conduira aux relations sexuelles. La voix de la raison et le sens des responsabilités sont tout à coup submergés par l'appel de la chair. Une fois éveillée, l'excitation sexuelle ne cesse de croître et il est impossible de la refouler purement et simplement. La limite est franchie quand le respect qu'on a pour l'autre et celui qu'on se doit à soi-même disparaissent. Souvent ce qui retient la jeune fille, c'est la crainte de la grossesse. Le flirt ne devrait donc jamais être trop poussé et les deux partenaires devraient garder le sens de leur responsabilité. Il faudrait y réfléchir *avant*, récider de ne pas franchir telle limite et s'arrêter avant de l'atteindre. Il est préférable que les deux jeunes gens prennent ensemble cette décision car tous deux sauront ainsi quand freiner.

LES RELATIONS SEXUELLES

Il faut tout d'abord dissiper les idées erronées qu'on se fait des relations sexuelles avant le mariage. Certains professent qu'elles sont nécessaires à la santé, qu'elles ont donc un but hygiénique. Mais rien ne prouve que là où ces expériences font défaut il en résulte un handicap physique ou émotionnel.

On prétend aussi qu'en ayant des relations sexuelles avant le mariage, on diminue d'autant le nombre de spermatozoïdes qui pourraient servir a la fécondation, et que ces relations sont de ce fait nuisibles au mariage. L'évidence contredit le premier point et le second est tout aussi faux.

Ce problème des relations sexuelles avant le mariage est plus difficile à résoudre pour la jeune fille que pour le jeune homme.

De nombreux jeunes gens ont des relations sexuelles avant le mariage et y trouvent une satisfaction profonde. D'autres souffrent de conflits de conscience qui affectent leurs relations après le mariage. Il semble donc que les conséquences qu'elles entraînent dépendent des circonstances où elles se sont produites, des sentiments et des motivations qui les accompagnaient.

Bon nombre de gens pensent que les relations sexuelles avant le mariage conviennent à l'homme mais pas à la femme. L'homme préfère épouser une jeune fille vierge. Il attache beaucoup d'importance à être son premier et son seul amour. Il sait en effet qu'à quelques exceptions près la femme ne se donne sensuellement qu'après une intense excitation émotionnelle, et il ne désire pas partager cette découverte avec d'autres. Il ne veut pas que sa femme puisse le comparer à ses souvenirs, et il trouverait désagréable que celle-ci, ayant eu d'autres hommes dans sa vie, puisse juger de ses performances et les comparer.

La jeune fille sait quel prix le jeune homme attache à sa virginité et elle désire arriver vierge au mariage. Certaines femmes choisissent de jouer la comédie plutôt que d'avouer la vérité à leur fiancé: parfois elles se persuadent elles-mêmes qu'elles sont vierges!

Tout ceci brosse déjà une image de la personnalité masculine. Dans presque toutes les civilisations une plus grande liberté sexuelle est accordée à l'homme, dont elle est la prérogative. Souvent d'ailleurs les hommes qui ont le plus vécu et qui semblent affranchis de toutes les conventions veulent à toute force épouser une jeune fille vierge et, pour avoir la preuve de cette virginité, usent des moyens les plus inattendus. Ces hommes de caractère inquiet et méfiant s'imaginent que toute femme possède les mêmes défauts caractériels qu'eux.

Par contre certaines femmes doivent accepter, tout en le désapprouvant, que leur mari entretienne des relations sexuelles hors mariage. Elles n'en sont pas plus libres, car si elles prennent un amant, elles s'apercevront, après d'amères expériences, que cette revanche n'en valait pas la peine. Les femmes ne peuvent s'épanouir qu'en aimant celui qu'elles ont choisi et dont l'estime leur est nécessaire. La femme qui tente de passer outre à cette loi naturelle et suit l'exemple masculin va inévitablement au devant de graves désillusions.

On dit parfois que les expériences sexuelles avant le mariage sont plus nécessaires à l'homme qu'à la femme, car il y engage moins de sentiment et d'émotion. Certaines femmes préfèrent épouser un homme qui a de l'expérience et elles n'éprouvent pas nécessairement de jalousie vis-à-vis de ses aventures passées. Ceci prouverait que l'homme d'expérience a vaincu la peur instinctive que lui inspire la femme et qu'il a appris à jouir de ce qu'elle peut lui offrir. Apparemment la femme éprouve moins de crainte dans les bras d'un homme qui sait l'éveiller et lui prouver son amour.

Tous ces arguments semblent donc militer en faveur d'un comportement différent pour l'homme et pour la femme. Mais logiquement on ne peut nier que ce qu'on permet à l'un, on doit aussi le permettre à l'autre.

Les relations sexuelles avant ou hors mariage représentent davantage qu'un simple rapport d'un être avec un autre. Nous ne pensons pas ici aux prostituées: malgré tout ce qu'on en dit, les expériences de ce genre sont rares actuellement. Chaque sexe a ses dérèglements. A une dévergondée correspond un dévergondé. Sur le plan philosophique il serait intéressant mais illogique d'admettre deux morales. Si l'on admet que les hommes aient des relations pré-conjugales et extra-conjugales, on doit aussi en reconnaître le droit aux femmes.

RELATIONS PRÉ-CONJUGALES

Les couples qui décident de se donner l'un à l'autre avant le mariage tentent souvent d'évoquer les problèmes qui pourraient se poser. Ils invoquent la nécessité du plaisir, leur attirance mutuelle, les conséquences possibles — mais non désirées — des relations sexuelles et discutent des mesures à prendre pour les éviter. Sûrs de leurs sentiments, ils essayent de déterminer leurs motivations et de prévoir comment évolueraient leurs rapports. Peut-être découvriront-ils qu'accepter une situation en la raisonnant ou l'accepter émotionnellement sont deux choses différentes. Ils éprouveront peut-être moins de respect l'un pour l'autre. Cette retombée dans la réalité, inconsciemment peut-être, pourrait conduire le jeune homme à trouver la jeune fille moins désirable, moins digne d'être courtisée: c'est une impression comparable qu'éprouve le perdant d'une compétition sportive.

Par contre certains jeunes disent que ces rapports pré-conjugaux les unissent plus étroitement.

A ce propos, nous soulignons ici que nous ne parlons que de relations sexuelles entre célibataires qui anticipent un peu... Nous ne parlons pas des relations sexuelles qui s'établissent sans qu'aucun projet de vie commune ait été ébauché.

Notons qu'avant et après le mariage l'optique n'est plus la même, à telle enseigne que certains maris reprochent à leur femme ce qu'elle leur a accordé avant le mariage, et qu'il leur a fallu solliciter avec tant de persuasion.

Faut-il conseiller de « confesser » les expériences sexuelles qui ont précédé le mariage? C'est là un problème qui demande mûre réflexion et qui dépend des motifs qui animent celui qui songe à cette confession; il doit tenir compte des réactions possibles du partenaire. Sorties de leur contexte ces révélations sont souvent difficiles à admettre ou à comprendre. Les célibataires qui parlent de leurs expériences sexuelles peuvent trouver ce propos tout à fait déplacé quand le mariage est consommé. Dans le feu d'une dispute, le partenaire peut y faire allusion, ou un certain ressentiment peut s'amasser quand l'autre a plus d'expérience pour apprécier les choses.

Certains estiment que pour obtenir les faveurs de la jeune fille un jeune homme devrait se montrer aussi persuasif que possible. C'est à elle de borner ses faveurs, car elle est au premier chef responsable de ce qui arrive. Comme nous l'avons déjà dit, tout cela est du ressort de la jeune fille *et* du jeune homme, leur responsabilité est solidaire. Un facteur qu'il ne faut pas mésestimer est l'espèce d'instinct que possède la jeune fille pour tout ce qui touche au sexe, à la grossesse et à la maternité.

Dans les premières années de son développement psychosexuel, après avoir accepté son futur rôle de femme, elle se dit qu'elle sera mère un jour et s'en réjouit. Si des relations sexuelles pré-conjugales s'établissent, la jeune fille va se trouver très désavantagée socialement, émotionnellement et physiquement.

Certains garçons possèdent une tactique de conquête soigneusement mise au point. Lorsqu'ils constatent que la jeune fille leur résiste, ils lui déclament des poèmes, en font à son intention, potassent des sujets qui doivent l'intéresser et se découvrent une soudaine passion pour certains rythmes de danse, tout cela pour mieux l'approcher. Ils lui offrent des cadeaux, lui apportent des douceurs, l'invitent à des représentations, à des soirées dansantes, à des week-ends entre étudiants, etc. Certains jeunes gens s'imaginent qu'on peut avoir n'importe quelle fille, à condition de savoir s'y prendre et d'avoir assez d'obstination. Mais il faut bien reconnaître qu'en coulisses certaines filles font subtilement « marcher » le garçon.

D'autres ont découvert qu'ils gagnent du temps en disant à la jeune fille qu'ils l'aiment. Cette déclaration peut ne pas suffire à celle-ci qui mettra le jeune homme à l'épreuve. Mais il n'a pas été sans remarquer que parler d'amour donne au flirt une forme plus tendre où les objections faiblissent. Très perméables à tout ce qui est du domaine de l'amour, les femmes se leurrent facilement à moins qu'elles ne mènent l'homme « par le bout du nez » en professant, pour qu'il tombe amoureux, des opinions qu'elles n'ont pas.

Mais en tant que facteur décisif des rapports sexuels l'amour présente un écueil: c'est la rapidité avec laquelle les jeunes gens y succombent et oublient ensuite leurs sentiments. Il arrive que des couples qui avaient de sérieuses intentions de mariage ou qui étaient déjà fiancés sombrent tout à coup dans l'ennui ou l'indifférence. Comme des relations intimes s'étaient établies, ces ruptures donnent lieu des deux côtés à des sentiments haineux, à d'amers reproches et à une mésestime réciproque.

Jeunes gens et jeunes filles devraient donc conserver leur maîtrise, examiner froidement la situation, fixer des limites à leurs relations et en discuter ensemble, de façon à être entièrement et pleinement responsables de leurs actes. Les relations sexuelles pré-conjugales sont un problème important que les deux partenaires doivent envisager franchement dans toutes ses conséquences. Sinon c'est ouvrir la porte aux déceptions, à la honte, aux désordres sentimentaux, aux désillusions de toute nature.

Il est facile de comprendre que les relations sexuelles avant le mariage puissent donner lieu à bien des surprises, pour ne citer que la grossesse, la perte de réputation dont souffrira la jeune fille et le risque des maladies vénériennes.

La conception

Les jeunes filles craignent terriblement une grossesse hors mariage, mais la peur n'engendre pas la prudence. C'est ainsi que parmi les adolescentes il y a, ces dernières années, une recrudescence de mères-célibataires. En 1938, on comptait aux Etats-Unis 88.000 naissances illégitimes, chiffre qui monta en 20 ans à 209.000 (moyenne de l'âge

des mères entre 25 et 29 ans). Contrairement à ce qu'on croit généralement, les mères-célibataires appartiennent à tous les millieux et n'ont
aucun facteur socio-économique commun. Ce problème se pose à la
société toute entière et ne se limite nullement à certains groupes où
joueraient des facteurs éducatifs, ethniques ou religieux.

La conception peut toujours se produire, même à la suite des plus
grandes précautions. A part la pilule anti-bébés, on ne connaît pour
l'éviter aucun procédé infaillible. Même les préservatifs, qui semblent
pourtant le moyen le plus efficace d'éviter une grossesse, peuvent trahir
une fois ou l'autre par un défaut de fabrication... Destinée à expulser les
spermatozoïdes hors du vagin, l'injection est moins sûre encore. La
crainte d'une grossesse supprime tout plaisir. Ceci est également vrai
pour les femmes mariées qui redoutent la venue d'un nouvel enfant.
Mais cette appréhension est plus nuisible encore chez la femme célibataire, qui éprouvera de ce fait peu d'agrément aux relations sexuelles
et qui, une fois mariée, aura peine à oublier cette impression.

Enceinte, la jeune femme n'aurait qu'une alternative: se faire avorter,
ou accepter de porter son bébé. Cette crainte de la conception est très
mauvaise en soi. Le cycle menstruel peut être interrompu uniquement
à cause de l'anxiété ressentie et la jeune fille qui craint d'être enceinte
peut même avoir du retard dans ses règles.

Comme nous l'avons déjà dit, l'avortement illégal est punissable et,
par ailleurs, si la jeune femme se confie à des « faiseuses d'anges », la
stérilité, voire la mort sont les suites possibles de cette intervention.
Les conséquences morales ne sont pas moins graves et souvent laissent
des séquelles durables.

Si la jeune fille décide de garder l'enfant, on dira qu'elle a « dû se
marier ». Un mariage sur quatre se fait dans ces conditions. Ce sont
rarement de bons ménages, surtout si le jeune homme estime qu'on
lui a forcé la main en l'obligeant à faire son devoir, « à réparer »...

Par contre si la jeune femme ne tient pas à épouser le père de son
enfant, elle peut quitter la ville le temps de la gestation ou entrer
dans un home pour mères-célibataires, où elle accouchera. Ces deux
solutions ne sont, évidemment, que des accomodements. Est-il besoin
d'insister ici sur les difficultés qui attendent l'enfant illégitime, sur le
blâme qu'encourt la mère-célibataire, même dans notre société qui se
veut affranchie des conventions? La femme sera seule à porter ce far-
deau car l'homme, qui est pour moitié dans cette naissance illégitime,

restera libre et blanc comme neige. Le monde estime qu'en cherchant à obtenir les faveurs de son amie, il a montré sa virilité, mais que la jeune fille, en cédant, a prouvé qu'elle n'avait su le retenir qu'en perdant sa virginité. On ne trouve pas, s'appliquant à l'homme, d'expression équivalant au qualificatif de: « femme tombée ».

Lorsque la jeune femme se fait avorter, son partenaire en paie rarement les frais; si elle garde l'enfant, ce n'est pas lui non plus qui règle la clinique. S'il n'est pas mis en demeure de l'épouser, peu lui importe qu'elle se marie ou non par la suite. Ses parents, d'ailleurs, préfèrent fermer les yeux sur la responsabilité qu'il a dans cette affaire. Donc, si deux jeunes gens ont des relations sexuelles avant leur mariage, il est absolument indispensable qu'ils fassent tout pour éviter une grossesse. Celui qui ne comprend pas cet impératif ne sera jamais un parti possible; non seulement il ne se soucie guère de sa compagne, mais il est ou restera trop jeune pour imaginer tout le tort social qu'il peut lui faire.

Réputation sociale

Il est navrant de constater que beaucoup de jeunes gens se laissent aller à relater, dans leurs moindres détails, leurs expériences sexuelles. Ils ne se rendent pas compte du tort qu'ils se font en parlant de leurs affaires intimes. Les jeunes filles qui ont gardé secrète leur aventure apprennent toujours avec accablement que leur ami a tout raconté à ses camarades, sans rien taire de leur intimité. Bien des hommes semblent incapables de renoncer à se vanter de leurs prouesses. A ce propos, remarquons que le jeune homme qui ne sait pas se taire prouve qu'il est trop peu mûr pour courtiser une jeune fille.

Les maladies vénériennes

L'adjectif « vénérien tire son origine de l'expression *Mons veneris*, ou « Mont de Vénus », qui désigne la région du pubis. Cette région est intimement liée à l'idée des rapports sexuels, qui transmettent les maladies en question.

Les organes génitaux — mâles et femelles — sont le principal siège des maladies vénériennes et les rapports sexuels sont leur principal agent de propagation.

De toutes les maladies vénériennes, la syphilis et la blennorragie sont les plus répandues. Actuellement elles sont aux Etats-Unis au premier rang des maladies contagieuses et elles posent un réel problème. On estime à 10 % environ de la population adulte le nombre des personnes infectées par l'une ou par l'autre de ces maladies, éventuellement par les deux, et souvent handicapées par des suites désastreuses.

La syphilis

La syphilis semble avoir existée depuis la plus haute antiquité, puisqu'on en trouve des traces sur des squelettes mis à jour par des fouilles archéologiques. On prétend qu'elle fut apportée en Europe par l'équipage de Christophe Colomb, à son retour d'Amérique.

Au cours des siècles suivants, cette maladie s'est répandue comme un feu de paille dans toute l'Europe. Elle est actuellement une des grandes plaies de l'humanité.

L'origine de la syphilis a toujours été vivement discutée et chaque pays en rend un autre responsable, si bien qu'on l'appella tour à tour: vérole française, vérole italienne, vérole anglaise, etc. Cette appellation de « vérole » lui fut donnée parce que ses symptômes sont au début semblables à ceux de la petite vérole (pustules ressemblant à de gros boutons ou boursouflures).

Nous n'avons pas de renseignements précis sur cette maladie avant 1903 où, grâce à la mise au point du microscope et au développement de la bactériologie, on put isoler le micro-organisme responsable de la maladie: le *Treponema pallidum*, ou Treponème pâle.

En forme de tire-bouchon, il se rattache à la famille des spirochètes.

Hors du corps humain, le spirochète est très fragile et meurt rapidement. Il ne résiste pas à la sécheresse et à la chaleur; mais, sur une surface humide, il subsiste environ deux heures.

On *peut théoriquement* contracter la syphilis en buvant dans un verre, en s'asseyant sur un siège de toilettes qui ont été infectés, etc. Mais ce genre de contamination est fort rare. La maladie se transmet par contact direct, habituellement lors des rapports sexuels ou au cours des caresses préliminaires.

Les spirochètes responsables de l'infection se trouvent dans le liquide d'un chancre (sorte d'ulcère) ou d'autres petites blessures du malade.

Généralement localisés sur les organes génitaux, les lèvres ou la langue, les chancres se trouvent néanmoins sur n'importe quelle autre partie du corps. Même à travers une surface qui ne présente aucune lésion, les spirochètes pénètrent dans la peau ou dans les muqueuses à l'endroit où le contact s'est produit. Les relations sexuelles entraînent un frottement qui suffit, de même que la pilosité du pubis, à provoquer de minuscules blessures aux organes génitaux. Toutefois les spirochètes prennent un certain temps pour pénétrer dans la peau, de sorte qu'un traitement prophylactique appliqué juste après la contamination peut prévenir l'infection.

Si l'infection se propage et n'est pas traitée, la syphilis se développera en 4 étapes successives: étape primaire, étape secondaire, étape latente et étape tertiaire.

Le premier symptôme du stade primaire est l'apparition d'un chancre à l'endroit où le spirochète a pénétré dans le corps, presque toujours sur ou autour des parties génitales. Chez la femme, ils vont facilement se loger à l'intérieur du vagin, dans un endroit quasiment invisible même lors d'un examen vaginal approfondi.

Ce chancre n'est pas douloureux.

Chez l'homme, il se constitue dans les plis du prépuce ou sous le pénis. Même s'il est visible, ce chancre est petit, sans importance, indolore et il attire à peine l'attention.

Il est donc parfaitement possible d'avoir un chancre ouvert et de contaminer d'autres personnes sans le savoir.

Le chancre apparaît généralement de 10 jours à 3 semaines après la contamination, mais quelquefois seulement 90 jours plus tard. Il disparaît après une ou deux semaines, avec ou sans traitement — dans ce dernier cas en laissant une légère cicatrice. L'apparition du chancre confirme la syphilis et son développement.

Le second stade de la syphilis commence après de 3 a 8 semaines. Le chancre primitif a disparu comme il était venu. En différents endroits du corps apparaissent des taches rouges, d'abord minuscules, mais le nombre et l'étendue augmentent rapidement (roséole). Cette éruption peut couvrir tout le corps, y compris les paumes des mains, la plante des pieds, les muqueuses de la bouche, du nez, de la gorge et du vagin. Elle est indolore et parfois si bénigne qu'elle passe inaperçue aux yeux du malade. S'il s'en aperçoit il ne la prendra pas très au sérieux. Elle peut disparaître sans aucun traitement et à ce stade certaines personnes peuvent être syphilitiques sans le savoir.

Cette disparition spontanée du chancre et de l'éruption qui y fait suite a de dangereuses conséquences car le malade s'imaginera qu'il est guéri et n'ira pas consulter un médecin.

Durant ce second stade la maladie se répand dans l'organisme. Par la circulation sanguine les spirochètes pénètrent dans les articulations, les yeux, les organes internes, la moelle épinière et le cerveau. La personne contaminée peut se sentir mal à l'aise avec une légère fièvre et des maux de tête. Il arrive que les cheveux tombent par touffes. Ces symptômes disparaissent à leur tour au bout de 4 à 6 semaines. Dans cet intervalle les spirochètes s'installent dans les tissus plus profonds et la maladie entre dans la phase latente.

A la fin du second stade, aucun symptôme absolument décisif ne se manifeste et cet état peut durer de quelques mois à vingt ans... Cette absence de symptômes caractérise la phase latente de la syphilis pendant laquelle les spirochètes intensifient leur travail destructif.

Dès que se manifestent certains symptômes de cette destruction, la maladie entre dans son stade tertiaire, ou stade final. Ces symptômes sont si variés et si divers d'un individu à l'autre qu'il est difficile de bien les énumérer tous et de les caractériser exactement: on peut se trouver en présence d'affections osseuses, de troubles circulatoires, de troubles du système nerveux, de cécité graduelle, de crises de folie, de déformations, de troubles cardiaques, de paralysie et ce tableau clinique se termine avec la mort du sujet.

Les statistiques prouvent que les cas de syphilis non soignées se répartissent ainsi:

dans un cas sur 200 le malade devient aveugle;

dans un cas sur 50 il devient fou;

dans un cas sur 25 il souffre de déformations;

dans un cas sur 25 il est atteint de troubles vasculaires ou cardiaques.

Il existe un infime pourcentage de cas où le malade se guérit seul, par mécanisme d'autodéfense. Au reste le rythme de la maladie est loin d'être uniforme.

Certaines personnes, mal soignées ou dont la maladie n'a pas été traitée, ne parviennent jamais au 3e stade. Pour ceux qui en sont déjà là, si on ne peut guère réparer les destructions, on peut tout au moins prévenir leur aggravation.

Les plus tragiques victimes de cette terrible maladie sont les bébés qui lors de leur naissance, la contractent de leur mère. La syphilis n'est pas héréditaire, mais les spirochètes, qui ne sont pas retenus par la barrière du placenta, contaminent l'enfant dans l'utérus (syphilis congénitale). Si la mère est soignée avant le 5e mois de la grossesse, l'enfant ne sera probablement pas atteint. Mais plus le traitement commencera tard, plus les chances du foetus seront minces. Le virus attaque en effet les tissus, entraînant des lésions corporelles et cardiaques, des éruptions cutanées, des insuffisances cervicales, voire la mort dans l'utérus. Il est évident qu'un traitement même tardif vaudra toujours mieux que l'absence de tout traitement.

Pour prévenir la syphilis congénitale, un immense effort est fait actuellement et dans de très nombreux pays la loi oblige le médecin traitant à produire une analyse du sang de la femme enceinte (ce qui milite encore pour le choix d'un gynécologue dès le début de la grossesse). Ces lois favorisent l'information et font reculer la syphilis congénitale.

Plusieurs tests servent à détecter la syphilis. Pour déceler la présence des spirochètes, on examine au microscope les sécrétions des chancres ou autres éruptions cutanées. Les examens du sang, tels les réactions de Wassermann, sont ou ne sont pas positifs aux stades primaire et tertiaire, mais sont généralement positifs aux stades secondaire ou latent. Dans son effort pour endiguer les progrès de la maladie le corps forme des anticorps dont la présence dans le sang sert de base à la plupart de ces tests.

La syphilis détectée doit être soignée activement et sans interruption jusqu'à la disparition de toute trace d'infection. Une petite révolution s'est produite ces vingt dernières années dans son traitement. On a remplacé les composés arsenicaux — dangereux parfois — par une médication plus rapide, plus simple et plus efficace à base de pénicilline: dans la majorité des cas, il suffit pour détruire les spirochètes de doses massives durant 10 à 15 jours. Dans les cas rebelles à la pénicilline, on entreprend d'autres traitements antibiotiques qui réussissent très bien. Les personnes guéries doivent subir des contrôles réguliers tous les deux ans. Il faut souligner ici que si le traitement peut arrêter la propagation de la syphilis, il ne peut jamais réparer les dégâts qu'elle a causés.

Le traitement le plus rapide est évidemment le meilleur, mais prévenir vaut mieux encore. Il n'existe pas d'immunisation contre cette maladie et celui qui l'a eue n'est pas assuré de ne plus la contracter. Il semble pourtant qu'elle soit aujourd'hui en légère régression.

La blennorragie

La blennorragie est la plus répandue des maladies vénériennes. Comme la syphilis, c'est un véritable fléau de l'humanité; on en trouve trace tout au long de l'histoire.
Rien qu'aux Etats-Unis on signale chaque année un demi-million de nouveaux cas.
Des bactéries appelées gonocoques son a l'origine de la blennorragie. La contamination se fait habituellement au cours de l'acte sexuel. Les gonocoques qui se trouvent dans les parties génitales de l'un des partenaires entrent en contact avec les organes génitaux de l'autre.
La transmission indirecte est possible mais improbable car, très fragiles, les gonocoques ne survivent hors du corps qu'un court laps de temps.
Chez l'homme, la blennorragie attaque les muqueuses de l'urètre, où elle provoque une infection, des rougeurs, une enflure et de l'irritation. Le premier symptôme de la maladie est une sensation de brûlure. Les douleurs au moment d'uriner surviennent de 2 à 6 jours après la contamination. Puis il se produit un écoulement jaune et purulent du pénis. Les douleurs sont telles que le malade est obligé de recourir aux soins d'un médecin.
Chez la femme, la maladie au premier stade ne provoque ni douleurs ni symptômes particuliers. Mais elle se signale par un écoulement vaginal purulent. Elle peut s'imaginer qu'il traduit nervosité ou fatigue; qu'il s'agit de pertes blanches ou d'une légère irritation sans grande importance. Mais fréquemment l'infection gagne l'urètre et elle ressent, quand elle urine, les mêmes douleurs que l'homme.
Si l'infection est légère, la période d'incubation peut se prolonger au-delà des 2 à 6 jours habituels. Dans ce cas les symptômes apparaissent lorsque le sujet est en état de moindre résistance, à la suite d'une grande fatigue ou d'un abus d'alcool.
Quelquefois — *mais pas toujours* — la maladie, même non soignée, est battue en brèche par le mécanisme d'autodéfense et disparaît en quelques semaines. Ce cas se produit plus fréquemment chez l'homme que chez la femme, où les gonocoques sont mieux protégés par les plis de la muqueuse vaginale.
Dans quelques cas où la maladie n'a pas été soignée, les symptômes de

l'urètre disparaissent, mais l'infection interne subsiste — chez l'homme dans les canaux séminifères et les organes annexes: la prostate, les vésicules séminales et les testicules, entraînant une enflure très douloureuse; chez la femme vers le col de l'utérus, les trompes de Fallope et les ovaires. Lorsqu'elle n'est pas soignée, la blennorragie peut provoquer la stérilité par blocage des canaux reproducteurs ou par d'autres lésions des organes, spécialement chez la femme, où les sécrétions provoquent l'obstruction des trompes, ce qui rend toute fertilisation impossible. Occasionnellement, chez l'homme et chez la femme, la maladie dépasse le cadre de l'affection localisée et envahit la circulation sanguine, portant l'infection dans toutes les parties du corps et causant des troubles cardiaques, de l'arthrite, la cécité et même le décès du malade. Malgré la fréquence de cette maladie l'issue fatale est rare.

Quand un sujet est contaminé, les gonocoques envahissent pour des années le système génito-urinaire, même si la guérison est apparente, et ils continuent leur travail de sape. Même si la maladie déserte l'urètre, elle s'incruste, chez l'homme, dans la prostate, et lors de l'éjaculation, on trouve des gonocoques dans le sperme. Ils se réfugient alors dans les replis du vagin, du col de l'utérus et de l'urètre de la femme.

La contamination de cette maladie a lieu par contact sexuel direct; toutefois les jeunes filles peuvent contracter la blennorragie vulvo-vaginale par contact indirect: échange de costumes de bains, baignoire commune, etc. L'hymen démontre ici le rôle qui lui est affecté pour protéger l'organisme contre les infections vaginales, avant la maturité physiologique qui assurera à la femme des moyens naturels et plus puissants de protection. A la puberté la muqueuse vaginale devient plus solide, plus épaisse et beaucoup plus résistante aux infections.

Les enfants nouveaux-nés peuvent, à leur naissance, contracter la blennorragie ophtalmique en passant dans le vagin de leur mère qui est atteinte de cette maladie. En 1950, on avait pu déterminer que 10 % à peu près des enfants aveugles avaient été contaminés de cette façon. On peut considérer qu'autrefois presque toutes les cécités étaient de cette nature. Aujourd'hui, à la naissance, on introduit une goutte de nitrate d'argent dilué dans les yeux de l'enfant, ce qui suffit à conjurer ce désastre.

Il n'y a aucun test sanguin pour détecter la blennorragie. Le diagnostic se fait en examinant au microscope les sécrétions du pénis ou du vagin. Toutefois ce diagnostic n'est pas absolument sûr, car un sujet peut être contaminé sans qu'il y ait forcément des gonocoques dans l'échantillon prélevé. Il faut donc répéter ces tests. Certains cas peuvent échapper à la détection, par exemple ceux des prostituées qui, avant l'examen médical, lavent les zones infectées ou prennent des bains pour éliminer les gonocoques de ces zones, ce qui rend le diagnostic extrêmement difficile. Comme la syphilis, la blennorragie prise à ses débuts peut être soignée à la pénicilline ou à d'autres antibiotiques. Mais là non plus aucune immunité ne se produit. Aucun vaccin ne peut protéger de ces deux maladies. C'est ainsi qu'un sujet qui a été contaminé par l'une d'elles n'est nullement immunisé. En fait, il peut fort bien les contracter toutes les deux en même temps.

Comparativement à la syphilis et à la blennorragie, les autres maladies vénériennes sont rares.

Le *chancre mou* ressemble beaucoup au chancre de la syphilis. Sa cause spécifique n'est pas encore connue, mais ce mal reste localisé et cède au traitement sans avoir les graves conséquences de la syphilis.

Les *crêtes de coq* (condylome acuminé) sont des excroissance, grandes ou petites, déchiquetées en forme de crêtes de coq, qui apparaissent sur les parties génitales et la région de l'anus. Elles sont probablement produites par un virus, comme beaucoup d'autres éruptions, mais peuvent être traitées facilement et efficacement. Elles sont habituellement contractées — mais pas toujours — par contact sexuel direct.

La prostitution est évidemment une des voies de propagation des maladies vénériennes. Dans les quartiers réservés ou certaines maisons, closes chaque fille reçoit de trente à quarante clients par jour. Pendant les week-ends et lors de la paie ce chiffre monte à soixante ou soixante-dix par jour! C'est à dire que le vagin d'une prostituée n'a aucune chance d'éviter la contamination. On estime qu'une femme contaminée transmet la maladie à 50 % de ses clients — donc de vingt à trente hommes par jour. Les filles qui « font le trottoir » ou les call-girls ont le contestable avantage de n'avoir que trois ou quatre clients par jour, car, avant de les amener chez elles, elles hantent les bars à la recerche d'un ami de passage.

On estime que toutes les femmes qui ont exercé la prostitution pendant plus d'une année ont contracté la syphilis et la blennorragie. De toutes les prostituées examinées, 25 à 50 % ont été trouvées porteuses de maladies vénériennes et l'on doit dire que même celles qui ne présentaient pas des symptômes bien précis pouvaient être atteintes. De plus un client peut contaminer l'autre par le truchement de la prostituée.

Malgré ces statistiques effrayantes, la prostitution n'est pas le seul agent de contamination. Les maladies vénériennes se propagent également lors de relations occasionnelles. Des études récentes confirment que beaucoup d'hommes essayent de satisfaire leur besoin d'affection par des expériences sexuelles qu'ils font autour d'eux. Bien des jeunes gens, faute d'être prévenus, sont contaminés de cette manière. Flattés, excités et fiers d'avoir fait une conquête, ils négligent toute précaution et ne prennent pas les mesures préventives des prostituées et de leurs clients.

L'homosexualité est aussi un agent de propagation des maladies vénériennes. Dans une communauté, 70 % des garçons — entre 15 et 19 ans — ont dû être soignés de la syphilis, alors qu'ils n'avaient eu que des relations homosexuelles. Une étude portant sur des adultes a donné des résultats identiques. La proportion de syphilitiques est six fois plus grande parmi les homosexuels que parmi les hommes normaux.

La législation de tous les pays exige la déclaration des maladies vénériennes. Sur le plan national, une enquête a révélé que certains médecins ne signalent pas tous les cas qu'ils soignent, cette restriction leur étant demandée par leurs patients. 10 % de la population fait chaque année l'objet d'un test sangin à l'occasion d'un examen prénuptial ou prénatal, lors d'une admission en clinique ou à l'hôpital. Environ 70 % des cas ainsi détectés sont signalés aux autorités sanitaires. Malgré les rapports incomplets dont on dispose, il est évident que les maladies vénériennes sont répandues partout sans distinction d'âge, de milieu ou de race.

Il est regrettable pour la santé publique que des cas ne soient pas annoncés, car ils ne peuvent être suivis. Dans les cas mentionnés, les autorités sanitaires identifient ceux qui les ont contaminés. Les études faites à ce sujet ont appris que le malade atteint de syphilis a eu des relations sexuelles pendant la période d'incubation avec au moins deux personnes; si bien que la syphilis aura été contractée par l'une ou par les deux. Cette réaction en chaîne transmet en quelques mois la maladie d'une seule personne à 50 autres, et même des enfants peuvent en être les victimes. Bien des gens, même si on leur garantit l'anonymat le plus strict, répugnent à dire qu'ils ont pu éventuellement contaminer. Les autorités sanitaires conduisent d'ailleurs ces enquêtes avec beaucoup de discrétion et de doigté. Il serait faux de se réfugier derrière des prétextes de pudeur ou de discrétion quand on sait à quoi on expose peut-être les autres. Il est donc absurde de prétendre « protéger la réputation » d'autrui en gardant le silence car ce serait compromettre sa santé et celle de beaucoup d'autres individus, de sa famille, par exemple, où la vie des enfants peut être dangereusement compromise.

Cette contamination en chaîne a pris des proportions réellement inquiétantes, car les infections syphilitiques ont plus que doublé ces cinq dernières années, surtout parmi les adolescents. Ceux-ci, moitié par naïveté moitié par bravade — masquant un sentiment de crainte et d'ignorance — sont des proies toutes désignées pour le tréponème et le gonocoque. Il faut donc leur exposer les faits pouvant influencer leur comportement, car il est clair qu'ils ne connaissent pas tout le détail des maladies vénériennes.

Comme, ces 20 dernières années, la maladie a été enrayée grâce aux antibiotiques, on a un peu négligé les campagnes d'information. Mais il est évident que même en faisant largement connaître les horribles conséquences que peuvent avoir les maladies vénériennes non traitées, on ne dissuadera pas les jeunes de s'y exposer. La société actuelle n'offre pas de solution sexuelle satisfaisante pour les adolescents et les célibataires. Présente et passée, l'histoire des maladies vénériennes est un exemple du problème sérieux auquel la société doit faire face en essayant de lutter contre les besoins sexuels de ceux qui la composent, spécialement les jeunes.

Les études faites révèlent également qu'il existe une très grande promiscuité parmi les adultes, célibataires et mariés. Il est intéressant de noter que lorsqu'il se produit un recul des maladies vénériennes il n'est pas en fonction des habitudes sexuelles: on a diffusé sur une grande échelle leur symptômes, leur mode de transmission, et l'on a instauré de nouveaux traitements préventifs et thérapeutiques.

Comme nous l'avons déjà dit, prévenir vaut toujours mieux que guérir, même si les traitements dont on dispose donnent d'excellents résultats. Plus les relations sexuelles sont fréquentes, plus on est exposé aux maladies vénériennes. De toute façon, sachant qu'on pourrait être contaminé, on devrait utiliser des moyens de protection.

En prévision de relations intimes, l'homme fera bien d'aller à la pharmacie la plus proche acheter des préservatifs et un nécessaire prophylactique. Il se lavera les parties génitales à l'eau et au savon et évitera de toucher ces parties avant d'avoir placé le préservatif sur le pénis en érection. Il retirera son pénis immédiatement après l'éjaculation, tandis qu'il est encore en érection; il ôtera le préservatif en le tenant par le rebord évitant ainsi qu'il se roule sur lui-même. Les deux partenaires doivent uriner immédiatement après l'acte sexuel (pour chasser tous les germes d'infection qui auraient pu se glisser dans l'urètre) et se laver soigneusement les parties génitales ainsi que toutes les régions exposées (les chancres peuvent se trouver dans des endroits que ne recouvre pas le préservatif), par exemple les testicules et l'intérieur des cuisses. Se servir de savon et d'eau aussi chaude que possible. Bien sécher ensuite. L'homme utilisera une moitié du produit prophylactique et le fera pénétrer dans l'urètre; il étendra l'autre moitié sur les organes qui sont entrés en contact durant les relations sexuelles. La femme devra veiller à ce que l'homme suive bien ces recommandations.

Pour la femme, les injections n'ont pas une bien grande utilité. Un bon lavage à l'eau chaude et au savon est préférable, mais aucune trousse prophylactique n'a été prévue à son usage.

Il est absolument indispensable que ces mesures soient prises aussitôt après l'acte sexuel. Plus on laissera passer de temps et moins ces soins atteindront leur but. Même deux heures plus tard, quand ils sont quasiment inutiles, il vaut mieux y avoir recours.

Mesures prophylactiques et précautions à prendre gâtent le plaisir, mais ce sont là de menus ennuis en comparaison des maladies vénériennes, de leurs séquelles et de leurs conséquences. L'homme qui engage des rapports sexuels doit avoir une maturité suffisante pour savoir qu'il se doit à lui-même, qu'il doit à sa famille, à sa partenaire et à la société d'utiliser des moyens prophylactiques pour éviter d'être contaminé par les maladies vénériennes et de les transmettre.

RÉSUMÉ - RELATIONS PRÉ-CONJUGALES

Si l'un des partenaires engagés dans une aventure est trop peu raisonnable pour éviter la perte de sa réputation, la conception ou les maladies vénériennes, c'est qu'il manque de la maturité nécessaire à cette expérience.

En fin de compte, chaque être doit décider lui-même s'il juge bon ou non d'avoir des relations sexuelles avant le mariage. Les critères choisis se fondent sur des convictions religieuses ou personnelles différentes, sur une éthique qui varie d'un être à l'autre. Certains se déterminent après avoir sondé leur personnalité et celle de leur partenaire, en cherchant à prévoir comment leurs sentiments réciproques vont évoluer. Ce pas franchi, l'un des partenaires en estimera-t-il moins l'autre? Ces rapports ne vont-ils pas modifier l'image que chacun se faisait de l'autre comme d'un conjoint possible? Si ce risque existe, il vaut mieux ne pas tenter l'expérience cas toute relation qui tend à diminuer le respect que deux êtres se doivent est toujours une regrettable erreur.

En envisageant le problème sous un angle général, il faut remarquer que des relations intimes avant le mariage ne peuvent être une parfaite réussite dans la société où nous vivons. L'attrait mutuel est encore plus beau quand il est partagé, mais en le partageant deux êtres se lient davantage l'un à l'autre. Les relations sexuelles n'échappent pas à cette règle. Les femmes mariées prétendent que pour éprouver l'orgasme il leur a fallu de trois à cinq ans d'intimité avec leur mari. Avant le mariage les relations intimes ne durent pas aussi longtemps et ne constituent donc pas un bon baromètre des possibilités sexuelles dans le mariage.

L'importance d'une expérience de ce genre, c'est qu'elle contribue à connaître à fond le partenaire. Aussi ceux qui le recherchent pour le seul plaisir sexuel qu'il leur procure ne connaîtront jamais le profond bonheur de ceux que tout inclinait à ces relations intimes: des intérêts partagés, des idéaux et des buts semblables, le respect de la personnalité d'autrui. C'est alors qu'on peut parler vraiment d'une expérience complète.

A ce propos les jeunes peuvent avoir une idée très romanesque l'un de l'autre et s'imaginer qu'ils se connaissent totalement alors qu'il n'en est rien. L'attrait sexuel est le facteur dominant de leur amour et c'est sur lui qu'ils tablent pour évaluer leur désir d'épouser leur partenaire. Ils peuvent confondre appétit sexuel et amour et ne pas comprendre que le désir n'en est qu'un des éléments. Dans leur cas, l'expérience faite avant le mariage risque de n'être ni aussi réussie ni aussi merveilleuse qu'ils s'y attendaient. Leur appétit sexuel calmé, plus rien ne subsiste de leurs sentiments et ils s'aperçoivent qu'ils ne poursuivaient qu'une aventure des sens. Si les liens qui les unissent sont aussi précaires, il vaut évidemment mieux qu'ils le découvrent avant le mariage. Physiquement et émotionnellement, ils peuvent trouver mieux.

RELATIONS SEXUELLES AVEC DES PROSTITUÉES

Ces relations ne recherchent qu'une satisfaction sensuelle bien déterminée. « Ces dames » ont beaucoup de clients, mais peu de fidèles.

Parmi ceux qui s'adonnent à la prostitution, il y a: les hommes et les femmes hétérosexuels et les hommes et les femmes homosexuels. Le plus couramment, c'est moyennant finances que les prostituées accordent leurs faveurs.

La prostitution n'a pas la signification sociale qu'on lui attribue parfois. La plus grande partie des prostituées ne fait ce métier que pendant un temps; il arrive qu'elles se marient et rentrent dans le rang. Généralement la prostitution se pratique à temps partiel, le soir ou pendant le week-end. Elle constitue un supplément de gain. Habituellement les prostituées ne cherchent pas de satisfaction sensuelle auprès de leurs clients; elles accomplissent sans émoi leur métier.

On propose parfois de légaliser la prostitution pour résoudre quantité de problèmes sexuels. Ceux qui préconisent cette solution estiment que, si les prostituées en maisons closes et soumises à des contrôles sanitaires rigoureux recevaient les hommes qui le désirent, ils cesseraient d'importuner d'autres femmes.

L'application de cette théorie est difficile, car il n'est pas exclu qu'au rebours de ce qu'on attend d'elle, elle serve la propagation des maladies vénériennes.

La plupart des gens cherchent un aboutissement sensuel qui s'inscrive dans le contexte d'une apogée de leurs relations. Payeraient-ils des faveurs qui ne seraient que sensuelles? Les hommes ne pensent pas, en général, à embrasser les prostituées. Et pourtant ce sont les baisers et le jeu amoureux qui font la valeur du plaisir. Les hommes — et ils sont un bien petit nombre — qui fréquentent régulièrement les prostituées sont de deux types: ou ils ne savent pas comment courtiser une fille pour qu'elle se donne; ou ils ne désirent pas se lier. Le quartier des maisons closes n'est guère attrayant et le dégoût qu'elles lui inspirent est susceptible de rendre l'homme peureux et impuissant. Il se tracasse à l'idée qu'il pourrait être impuissant dans d'autres circonstances, ce qui est possible, car le meilleur moyen d'être impuissant c'est d'imaginer qu'on pourrait le devenir.

Certains hommes éprouvent à l'égard des femmes un mélange de crainte et de dégoût et ces sentiments sont exacerbés par des expériences malheureuses avec des prostituées. Il arrive que ces hommes se mettent à ressentir un violent antagonisme contre les femmes, ce qui rend bien difficile leur recherche d'une compagne.

HOMOSEXUALITÉ

Les homosexuels sont des gens qui n'ont pas été orientés comme ils auraient dû l'être en ce qui concerne leurs fonctions reproductrices et leur rôle sexuel dans la société.

On appelle homosexuel l'adulte qui a des contacts physiques avec une personne de même sexe et qui atteint l'orgasme par ces contacts.

L'homosexualité est un objet de blâme et de condamnation pour la plupart d'entre nous, pour les autorités et les organisations sociales, parce qu'elle est incompatible avec la morale sexuelle de la majorité et avec le système familial dont le but est la procréation.

Certaines personnes, qui défendent l'homosexualité ou demandent qu'on l'envisage objectivement, prétendent qu'on la juge répréhensible parce que notre société la condamne. Ses défenseurs arguent du fait que des sociétés ont accepté ou acceptent encore l'homosexualité. Il ne semble pas judicieux d'isoler un fait propre à une société donnée, pour l'admettre théoriquement et pratiquement dans une autre. Il est clair que tout est affaire d'interprétation, et on peut dire en tout cas que l'homosexualité n'a jamais été une expression sexuelle qui a prédominé chez les adultes.

Au début de ce chapitre nous avons mentionné que, dans la prime adolescence, des manifestations homosexuelles sont liées au développement psychosexuel de l'individu. Pour différentes raisons, l'homosexuel n'a pas dépassé ce stade et ce comportement qui s'explique et se tolère à un certain niveau du développement devient une « perversion » par la suite. Il est probable que l'évolution de l'homosexualité est influencée par le « milieu ». La maturité biologique provoque l'influx sexuel et l'expérience acquise le dirige dans une certaine direction. Par exemple, on n'a nullement pu établir que l'homosexualité dérive d'un désordre glandulaire, mais il faut reconnaître que cette tendance se retrouve toujours chez des hommes ou des femmes qui, consciemment ou non, cherchent à couper leurs liens familiaux et n'arrivent pas à s'affranchir de leurs parents.

La conception freudienne de l'homosexualité spécule quant à ses causes.

Dans la plupart des cas l'homosexuel a été un enfant dominé par une mère autoritaire et envahissante, avec un père passif qui n'était en rien l'homme à qui il aurait aimé s'identifier à la fin de la phase génitale. Comme nous l'avons dit précédemment lorsque nous avons traité du développement psychosexuel, l'un des résultats de la phase génitale, habituellement inconscient d'ailleurs, est l'identification avec celui des parents qui est de même sexe que l'enfant. Lorsque la mère est abusive, le fils a de la peine à s'identifier à son père et au rôle masculin qu'il devrait jouer. Au contraire le fils s'identifie à sa mère et devient soit un homosexuel passif — qui se met à la place de sa mère et qui aimerait être aimé comme son père aime sa mère — soit un homosexuel actif — qui aime un autre homme et le traite comme il aurait aimé être traité par sa mère. Ce comportement se retrouve d'ailleurs chez la femme homosexuelle qui aime son amie et la traite comme elle aurait aimé être traitée par sa mère. Sous-jacents à ces relations amoureuses se cachent des sentiments de haine et de crainte vis-à-vis de la mère, si bien que l'homosexuel reste dépendant de ses parents et de son entourage habituel.

Il y a deux types d'homosexuels: les homosexuels « d'occasion » et les homosexuels d'habitude. Ces deux groupes d'individus sont également odieux, mais l'homosexuel d'occasion pose un moindre problème social que l'homosexuel d'habitude. Ce terme « d'occasion » indique bien qu'il y a, dans son cas, quelque chose de momentané, de transitoire. Il s'adonne à l'homosexualité quand il n'a pas de possibilités sexuelles normales. Citons pour exemple le prisonnier, qui redevient hétérosexuel dès qu'il a retrouvé la liberté, ou le soldat éloigné de toute civilisation. Découverts, ses agissements répréhensibles seront punissables, mais il ne pose pas de problème social déroutant. Un autre type d'homosexuel d'occasion se tournera volontiers, le cas échéant, vers des relations hétérosexuelles. Il peut être marié et père de famille et ne chercher qu'occasionnellement des relations avec d'autres hommes. Mais il devient un problème sérieux pour la société lorsque ses activités anormales mettent en danger sa vie conjugale. Il est intéressant de noter à ce propos que certains jeunes gens qui se sont laissés séduire ont affirmé qu'ils n'avaient pas soupçonné l'homosexualité de leur séducteur car, disent-ils, il « aimait les femmes » et était marié. Les femmes qui ont des maris aux tendances ambivalentes s'en rendent généralement compte. Elles vivent dans la terreur de les voir découverts, et des conséquences possibles.

Par contre, homme ou femme, l'homosexuel d'habitude recherche les aventures avec quelqu'un de son sexe, à l'exclusion d'un partenaire de l'autre sexe. Les jeunes hommes qui ont ces tendances sont bouleversés en entendant le récit des relations d'un sexe avec l'autre, un peu comme les jeunes gens hétérosexuels peuvent être choqués en entendant décrire les pratiques homosexuelles. L'homosexuel d'habitude, qu'il soit homme ou femme, constitue un dilemne social car il ne s'insère pas dans le cadre familial et se trouve souvent engagé dans des aventures qui se terminent fort mal socialement et émotionnellement. La façon de vivre des homosexuels diffère entièrement de celle des gens normaux. Ainsi deux homosexuels peuvent vivre côte à côte pendant des années mais sans avoir l'un sur l'autre des droits exclusifs quant aux relations sexuelles: l'objet de leur amour change continuellement, dans bien des cas chaque semaine, voire chaque jour.

Quelle que soit la catégorie à laquelle ils se rattachent, les homosexuels ne peuvent faire l'objet d'une étude descriptive qui les différencie de leurs semblables, car ils n'ont pas de caractéristiques particulières. L'homosexuel mâle est parfois efféminé, mais tous les hommes qui paraissent efféminés ne sont pas nécessairement homosexuels, tandis que bien des gens qui paraissent très virils et entreprenants font partie de la confrérie... Certains exhibitionistes s'habillent comme s'ils étaient de l'autre sexe et ne font pas mystère de leurs goûts, mais ils représentent une faible minorité. On prétend que, dans certaines professions, on trouve un nombre anormalement élevé d'homosexuels, mais cette allégation ne semble guère correspondre à la réalité. Ce qu'on peut dire, en tout cas, c'est que les homosexuels préfèrent vivre en ville, où il est plus facile de s'aborder et d'établir une certaine intimité.

On demande souvent comment réagir quand un homosexuel engage la conversation. Le mieux est de montrer un total manque d'intérêt. Certains hommes, que ces tendances effrayent, aimeraient prouver qu'ils sont des mâles en se colletant avec l'individu qui les a approchés. Mais il n'est pas nécessaire d'aller jusque là. Quand on lui montre clairement un manque d'intérêt, l'homosexuel se sent mal à l'aise et bat en retraite.

L'homosexualité est difficilement curable, si on veut dire par là qu'on arrive à transformer l'intérêt et à le reporter sur l'autre sexe. Ses habitudes prises l'homosexuel reconnaît ses tendances, et refuse qu'on se mêle de ses affaires ou qu'on cherche à l'aider. Il aime vivre à sa guise et trouve tout naturel de le faire, même si les autres y voient une perversion.

Ceux à qui une aide aurait été utile cachent soigneusement leur homosexualité de peur que sa découverte n'entraîne certaines conséquences. Les
homosexuels qui se font traiter psychothérapiquement peuvent guérir,
suivant la force de leurs motivations, de leur âge et de l'étendue des
expériences qu'ils ont faites. De toute façon, on devrait trouver un
modus vivendi selon lequel l'homosexuel pourrait gagner sa vie sans
faire des avances à des gens à qui ces pratiques répugnent. Si les raisons
qui militent en faveur d'un traitement sont suffisamment fortes, un
médecin adroit pourra beaucoup aider l'homosexuel qui se confiera à lui.
En général, et peut-être sans raisons valables, on craint les homosexuels,
on les méprise et on les évite.

On prétend parfois que la violence de cette réaction est en relation directe
avec l'homosexualité latente qui se trouve en nous. Nous craignons alors
qu'elle ne prenne le pas sur nos autres tendances. De toute façon on est
plus indulgent pour l'homosexualité de la femme (lesbicisme ou tribadisme) que pour celle de l'homme qui, en refusant femme et enfants,
semble fuir ses responsabilités vis-à-vis de la société. Ou encore on
s'imagine qu'il fuit ses responsabilités éthiques ou professionelles, ce
qui le rend plus vulnérable à la répréhension.

La sexualité s'exprime sous des formes différentes

Si l'instinct sexuel de l'adolescent ne trouve pas d'exutoire, que se passe-t-il alors? Trois solutions s'offrent à lui: la continence, la sublimation
ou se marier jeune.

LA CONTINENCE

L'histoire et l'examen du comportement sexuel confirment qu'une continence prolongée est possible, mais la plupart des adultes la jugent trop
difficile. Il semble pourtant que des gens la pratiquent avec succès. Parmi
eux il y a évidemment des individus qui, hormonalement ou émotionnellement, sont en sommeil, c'est-à-dire qu'ils n'éprouvent pas de violents
désirs sexuels.

Par ailleurs, la majorité de ceux qui observent la continence connaissent
le désir sexuel mais *choisissent volontairement* pour des raisons religieuses ou éthiques de ne pas lui donner d'exutoire. Cette décision semble
les rendre parfaitement heureux. Ils ont généralement des émissions
nocturnes.

La continence ne provoque aucun trouble physique. Une certaine psychologie enseigne qu'il est dangereux de refréner ses désirs sexuels. Mais « refréner » est un terme technique, qui ne signifie pas supprimer, dans le sens d'un refus ou d'une résistance. Il se peut que les gens calmes sexuellement (ou dont la sexualité est en sommeil) aient refréné leur sexualité, mais un désir refréné ou une pensée refrénée a été enregistré par le subconscient et peut reparaître à la conscience sous une forme déguisée et difficile à reconnaître. La sexualité refrénée ne semble plus être de la sexualité. Lorsque quelqu'un cherche à résister à un désir conscient, il ne s'agit pas d'une répression et le sujet ne court pas le danger de commettre une action répressive.

LA SUBLIMATION

La sublimation est un moyen d'endiguer l'énergie sexuelle et de la diriger vers d'autres issues acceptables à la fois pour l'individu et pour la société. On prétend que, chez celui qui a une activité créatrice, une partie de cette énergie est d'origine sexuelle. Quoique la sublimation ne puisse jamais remplacer entièrement l'accomplissement sexuel, il semble qu'une bonne partie des efforts créateurs et des désirs ambitieux s'abreuvent à sa source. Celui qui est pris tout entier par son effort créateur est moins assujetti au désir sexuel. Ceci semble souvent se vérifier. Quand la vie familiale, les études ou une vocation ne tiennent pas leurs promesses en vue de stimuler l'individu, lorsqu'il n'éprouve ni la joie ni la fierté d'un travail bien fait, l'être jeune est exposé à chercher une diversion dans les aventures sexuelles qui, pour un temps, animeront sa vie.

SE MARIER JEUNE

Dans notre société, la maturité biologique intervient bien avant qu'on parle mariage. Si cette lacune pouvait être comblée, il est certain que le problème des relations sexuelles pré-conjugales aurait presque trouvé sa solution.
Mais paradoxalement, tout en admettant qu'il est impossible de différer la maturité biologique, notre société approfondit encore cette brèche. Sa complexité ne cesse d'augmenter: il faut une meilleure éducation et de plus longues études pour gagner aujourd'hui sa vie — facteur essentiel du mariage. De plus notre niveau de vie, qui diminue les responsabilités

financières des adolescents, peut également prolonger leur manque de maturité. Ils reçoivent quantité de choses que leurs aînés devaient gagner eux-mêmes. On les contrôle de plus près — ils vont de la maison à l'église, de celle-ci à l'école, puis à une rencontre de groupe, et ils ont moins l'occasion de faire preuve d'indépendance et de montrer qu'ils sont des hommes.

Ce serait un manque de réalisme de prétendre qu'il suffit de se marier jeune pour que les problèmes sexuels avant le mariage ne se posent pas... Mais ce qu'on peut faire de positif pour aider les jeunes à atteindre leur maturité, c'est de les laisser se développer et raisonner eux-mêmes, de sorte qu'ils fassent usage de leurs connaissances et de leurs expériences. Les jeunes adultes ne cherchent pas à ce qu'on leur permette tout, ils désirent plutôt trouver des poteaux indicateurs. Or la solidité de ceux-ci dépend dans une certaine mesure des décisions qui seront prises au sujet des problèmes sexuels.

Les jeunes gens qui mènent bien leur barque pendant les difficiles années des problèmes sexuels ont en commun certaines caractéristiques. Ils ont été élevés dans des familles où ils se sentent en sécurité et se savent totalement acceptés; on leur a enseigné comment assumer la responsabilité de leurs actes. On leur a fait envisager sainement leurs besoins physiques et émotionnels et *ceux des autres*. Ils ne courent donc pas le risque de se faire manoeuvrer par ces besoins, et ils ne manoeuvreront pas les autres. Ces jeunes gens ont appris à se fixer des buts, à être ambitieux, à considérer la valeur des choses dans l'optique du présent et de l'avenir. Et, de plus, leurs parents leur ont donné l'exemple de la chaleur, de l'affection, du sens de la responsabilité et de l'entr'aide qui unissent un homme et une femme.

Par contre les jeunes dont le comportement sexuel laisse à désirer ont, en général, des parents qui ne s'entendant pas et qui sont incapables de faire équipe (parfois en dépît de leurs excellentes intentions); comme un mal héréditaire, ils transmettent ces dispositions à leurs enfants.

Chapitre 4

La préparation au mariage

Le mariage couronne l'amour et l'attirance physique mutuelle de deux êtres. Il protège la future mère et jusqu'à leur autonomie, assure la sécurité aux enfants nés du couple. Il est le fondement et la base de la famille, la cellule constitutive de notre société. Il nous apprend à respecter les règles et les lois humaines et c'est pourquoi la société, appuyée par l'Eglise, le Code, l'école, la famille, a voulu en faire un contrat inaliénable et pratiquement indissoluble.

Sous l'influence de ces institutions, celui qui décide de se marier se rend compte de l'utilité de ce lien légal et comprend la gravité d'en assumer les devoirs. Dès l'enfance, on pense au mariage avec un sentiment d'espoir et de plaisir anticipés; on se dit que marié, on sera parfaitement heureux. Effectivement le mariage est, pour la plupart des gens, la meilleure solution possible, qu'ils l'envisagent au point de vue affectif, économique, psychologique et physique. Il en sera sans doute de même pour les générations à venir.

En majorité, hommes et femmes se marient ou en forment le projet; 70 % des Américains qui ont plus de 15 ans sont mariés. Mais les chiffres ci-après montrent l'instabilité des sentiments humains: sur 4 mariages, il y a un divorce; un questionnaire a prouvé que 45 % seulement des couples mariés choisiraient le même partenaire, si c'était à refaire.

On rend responsable de cette instabilité l'évolution constante de nos structures sociales. On estime que les fiançailles ne sont pas assez longues et on conseille aux jeunes de se montrer plus sages dans le choix de leur conjoint.

L'évolution des structures sociales

Le rôle sans cesse grandissant des femmes, leur indépendance financière, les postes importants qu'elles occupent tout comme la profonde communauté de sentiments que les deux fiancés attendent de leur mariage, la mobilité plus grande de la population, l'abandon des campagnes pour les villes, l'autorité décroissante des parents tout cela s'est combiné avec d'autres tendances sociales pour détrôner la conception que l'on avait précédemment du mariage. Ceux qui critiquent cette transformation pensent que nous nous sommes écartés des chemins traditionnels et sûrs sans savoir comment nous stabiliser; ils estiment que le mariage est « ballotté sur un fleuve incertain, où il flotte au gré des courants contraires et de la confusion... »

L'histoire nous enseigne que l'institution du mariage a subi de continuelles transformations. Elles sont inévitables et donnent lieu à des périodes d'instabilité.

Le mariage tel que nous le connaissons et qui unit un homme et une femme (monogamie) est de conception relativement nouvelle et peu répandue. Actuellement, chez 85 % des peuples, la coutume permet à l'homme d'avoir plus d'une épouse. L'histoire ancienne nous donne peu d'exemples de couples dont l'homme et la femme on vécu côte à côte, se sont aimés, ont eu du respect l'un pour l'autre, comme deux bons compagnons qui élèvent ensemble leurs enfants.

Il est plus nouveau encore de considérer le mariage d'amour comme le mariage idéal, le seul qui soit possible. Cette notion est si bien ancrée dans les moeurs qu'on est surpris d'apprendre qu'il n'en a pas toujours été ainsi. Le mariage d'amour n'apparait dans la culture occidentale qu'aux 12e et 13e siècle. Dans l'histoire humaine, le mariage d'amour, qui était d'ailleurs l'apanage d'une minorité, est une expérience sociale récente. Il ne faut donc pas s'étonner des signes d'instabilité qui se manifestent.

C'est sa nature même qui doit changer, si le mariage doit répondre aux besoins de la société. Gardons-nous de confondre transformation et instabilité. Si les traditions anciennes subsistaient et si les lois étaient demeurées rigides, les époux actuels se sentiraient vite étouffés par les plus tendres liens et nombreux seraient ceux qui voudraient s'en libérer et divorcer. Regardons le côté positif de cette évolution qui rend les époux égaux en droits et en devoirs et leur permet de mieux s'épanouir.

Pour que le nombre des mariages malheureux diminue et pour mieux réussir sa vie, il faut choisir son conjoint avec sagesse, selon certaines règles bien précises dont nous allons vous entretenir.

Comment choisir son conjoint

Le choix d'un conjoint est sans doute le plus important de notre vie. Il ne décide pas seulement du destin du jeune couple et de son bonheur, mais du destin de ses enfants.

Il appartient au jeune homme de choisir sa compagne et c'est à lui de faire sa demande en mariage. Nombreux sont les jeunes gens qui désirent se marier avant d'avoir la maturité et l'expérience qui permettent un choix intelligent. Ils n'ont guère l'habitude de mesurer les conséquences lointaines d'une décision, ne savent pas vraiment ce qu'implique le mariage et quelles conditions doivent être remplies pour qu'il soit heureux. Ils auraient besoin qu'on les conseillât et qu'on examinât avec eux le problème sous tous ses angles. Mais vers qui se tourner en ces heures décisives?

Sortis de l'adolescence, le jeune homme et la jeune fille échappent à l'influence de leurs parents. Sur le plan matériel, ces derniers continueront pourtant à s'occuper d'eux, à leur faire suivre des traitements dentaires, à leur constituer une jolie garde-robe, à les entourer d'amis agréables et bien élevés, en leur permettant de se faire une place dans la société. Quand leur enfant a l'âge de se marier, les parents doivent le laisser entièrement libre de son choix, car c'est à lui de structurer sa vie. Ce chapitre donnera quelques conseils importants à ce sujet.

Au sortir de l'adolescence, les jeunes se retrouvent en groupes de « copains » où il apprennent à mieux se connaître; leur gaucherie disparaît et ils sont tout heureux de briller aux yeux de leurs camarades. Ces rencontres leur permettent de discuter de différents sujets, du mariage par exemple, et ils envisagent qu'un jour eux aussi fonderont une famille. Les réunions se multiplient, jusqu'au jour où des couples d'amoureux se forment. Cette fréquentation conduit aux fiançailles, pendant lesquelles les futurs époux ont l'occasion de se mieux connaître et de voir quelles affinités réelles les unissent.

Les fiançailles s'accompagnent généralement d'une solennelle promesse de mariage. Suivant les préférences et le milieu, il y a différentes manières d'annoncer des fiançailles: on peut faire insérer une annonce dans les journaux, envoyer un faire-part, inviter les intimes à une petite cérémonie ou se contenter d'en avertir les amis de la famille. Dès lors les fiancés portent une bague de fiançailles ou un bijou qui témoigne de leurs liens. Quoi qu'il en soit, les fiançailles mettent toujours à l'épreuve leurs sentiments mutuels.

Dans notre société elles constituent un temps « d'essai » où l'on s'éprouve avant de s'engager dans le mariage. Si cette période se déroule sans trop de heurts on peut penser que le mariage sera heureux.

Ce n'est pas la durée qui importe dans le temps des fiançailles, c'est que chacun sache aller à la rencontre de l'autre, que les fiancés cherchent à se mieux connaître, pour se rendre compte de l'identité de leurs buts et de la manière dont ils envisagent le mariage. Il faut aussi qu'ils se regardent l'un l'autre, par exemple à la plage, quand ils vont nager. Ils se confesseront les déficiences physiques qu'ils pourraient avoir: taches de naissance, prothèse dentaire, poitrine que le soutien-gorge avantage. Bien sûr, lorsqu'on est amoureux, on voudrait paraître à son avantage, mais il vaut mieux prévoir les déceptions ou les surprises désagréables... Plus on est franc et sans détours, mieux cela vaut pour l'avenir, car après le mariage les déceptions peuvent avoir des conséquences à long terme.

Le temps des fiançailles n'est pas toujours mis à profit. Souvent chacun fait effort pour multiplier gentillesses et attentions, évitant tous les sujets de friction. Chacun se dit que l'autre a un caractère en or, une personnalité charmante et que tant de qualités ne pourront que s'accorder avec les siennes! On manoeuvre habilement pour éviter les problèmes essentiels de la vie conjugale, les sujets intimes qu'il faudra aborder pendant les longues années à deux. On ne parlera ni de religion, ni du travail de la femme mariée, ni du budget, ni du planing familial, ni du délai souhaitable entre les naissances. Certains jeunes agissent comme s'ils redoutaient de se connaître vraiment, dans la crainte, peut-être, de découvrir quelque chose qui abîmerait leur romance sentimentale.

Généralement on rend l'amour romanesque responsable de ces erreurs initiales. Comme nous l'avons dit plus haut, de nos jours on ne veut se marier que par amour. On pense que seul est souhaitable pour les jeunes le mariage qui concrétise des sentiments romanesques. Mais on pourrait facilement faire le procès du mariage d'amour: les jeunes s'imaginent qu'il n'y a « qu'un seul être au monde » pour qui ils éprouveront « le coup de foudre » et, comme « l'amour est aveugle », il n'est pas impossible qu'il les conduise à un mariage malheureux. Qu'objecter à cela?

Il est certain que l'amour romanesque des fiançailles aveugle certains couples: ils ne voient que les qualités de l'être aimé et nient les défauts évidents qui crèvent les yeux des amis et des parents... Chacun tremble que l'autre ne découvre ses points faibles et fait tout pour les lui cacher. Malgré cela, cette idéalisation de l'amour pendant les fiançailles n'a pas un effet aussi désastreux que ses détracteurs voudraient le faire croire. Certaines enquêtes faites durant les dernières décades ont prouvé que les Américains croient de tout leur coeur à l'amour romanesque, mais qu'ils sont loin de lui faire totalement confiance. Leur attitude prête à croire qu'ils admettent sans restriction le rôle unique de l'amour, mais en fait ils sont conscients de tous les autres facteurs — au moins aussi importants — qui font d'un mariage une union heureuse.

Il ne faut donc jamais trop s'inquiéter quand un jeune homme ou une jeune fille vient dire « qu'un seul être au monde » lui est destiné... Souvent les gens qui s'épousent vivaient à moins de 3 km l'un de l'autre! Ceux qui pensent et disent: « Un jour, il — ou elle — viendra... » ont une attitude passive, peu réaliste, sans portée réelle. La recherche d'un conjoint est toujours une compétition; le choix donne lieu à une certaine concurrence.

Les jeunes savent bien qu'il ne suffit pas de « tomber amoureux ». Ils comprennent que même s'ils s'aiment « follement » au moment de leurs fiançailles, leur attachement gagnera en profondeur avec le temps, les responsabilités partagées, les concessions et l'éducation des enfants. On invoque souvent un autre mythe: celui des fiançailles-éclair. En réalité, 2/3 des couples se connaissent depuis deux ans ou plus au moment de leur mariage et on ne compte qu'un mariage pour six ou sept « coups de foudre ».

Un proverbe dit que « l'amour est aveugle ». On remarque cependant que les amoureux connaissent très bien les défauts et les imperfections de leur partenaire.

L'amour romanesque et idéalisé n'est peut-être pas infaillible dans le choix d'un conjoint mais notre société actuelle fait comme si elle reconnaissait son infallibilité...

Pour former un couple, deux êtres doivent posséder de réelles qualités d'adaptation et ils doivent faire un effort permanent en vue de cette entente qui naît d'un profond amour mutuel. Ce qui lie un couple, ce n'est ni la dot, ni la loi, ni l'indissolubilité d'un contrat, ni le qu'en dira-t-on, c'est l'amour réciproque des conjoints, et c'est ce sentiment qui les rendra « heureux en ménage ».

Il ne faut donc pas critiquer l'amour romanesque dont la jeune génération fait son idéal, mais l'aider à résoudre ses problèmes, conseiller et soutenir, le moment venu. Malgré toute la sagesse dont on cherche à s'entourer pour choisir son mari ou sa femme, ce choix repose en grande partie sur des sentiments subconscients, sur une intuition personnelle.

Des recherches sociologiques portant sur quelques soixante-dix ans nous permettent de dégager quelques règles générales concernant le mariage. Un proverbe qu'on peut vérifier tous les jours dit: « Qui se ressemble s'assemble». En effet, dans la règle, le choix se fait dans un certain milieu, dans une certaine classe, parmi des ressortissants de même race, d'âge correspondant, de même religion, dans une même région. Ces conditions limitent obligatoirement le choix aux personnes qui correspondent le mieux au rang social de l'intéressé.

Dans ces similitudes culturelles, chacun fait son choix selon son caractère, ses goûts, ce qui le caractérise. Mais souvent aussi « les contraires s'attirent ». Sans s'en rendre compte, chacun choisit le partenaire dont la personnalité correspond le mieux à ses besoins fondamentaux. On choisit donc finalement l'être dont la personnalité et les qualités nous sont complémentaires. Même si les jeunes nient cette idée, ils ne suppriment nullement le fait que les facteurs subconscients jouent ici un grand rôle.

Des études ont démontré combien les facultés d'adaptation des époux et leur degré de compréhension influent sur le bonheur conjugal. Les êtres compréhensifs sont heureux en ménage, tandis que les formalistes s'empoisonnent l'existence. Lorsqu'ils parlent de leurs problèmes conjugaux, les époux disent fréquemment: « Nous ne nous comprenons plus » ou « Nous ne voyons pas les choses sous le même angle ». Il est évident que si les époux donnent un sens différent aux mots: amour, mariage, relations sexuelles, leurs relations en seront perturbées. Les ménages heureux sont ceux où chacun se montre très compréhensif quant aux concepts essentiels du mariage.

Pour avoir l'harmonie en ménage, il faut donc que tous ces problèmes aient été discutés pendant les fiançailles.

En tout cas, les fiancés doivent avoir un échange d'idées quant à leur rôle respectif dans l'union, l'éducation des enfants, le planing familial, leurs pratiques religieuses, leurs relations avec leurs beaux-parents, l'élaboration du budget, etc. Pour qu'un mariage soit heureux et réussi, les problèmes à règler sont de trois ordres:

1) Dans quelle mesure les futurs époux sont-ils préparés au mariage?

2) Quels sont les critères qui ont déterminé le choix du conjoint?

3) Qu'attend-on du mariage?

Aptitudes et préparation au mariage

La pression — avouée ou détournée — que les parents exercent pour engager les jeunes à se marier est si forte que la société n'est pas loin de considérer un célibat qui se prolonge comme un signe d'échec. Cette optique a pour conséquence de pousser au mariage des êtres qui y sont insuffisamment préparés et qui s'en repentent par la suite. Mais comment savoir qu'on y est préparé?

Quand le jeune homme ou la jeune fille a l'âge de se marier, l'éducation reçue et les événements vécus dès l'enfance ont fixé dans les grandes lignes les tendances de son développement. Des conflits ont surgi, qu'il a fallu dépasser pour acquérir davantage d'indépendance, de maturité, de liberté, de responsabilité, sans perdre pour autant la chaude protection des parents. La manière dont les conflits se sont dénoués et l'âge où un modus vivendi est trouvé déterminent dans une large mesure la préparation au mariage. Il faut que les jeunes gens se connaissent bien eux-mêmes, connaissent leurs aspirations, leurs buts, leurs centres d'intérêt, qu'ils sachent prendre leurs décisions, qu'ils soient devenus indépendants et qu'ils soient amoureux.

BIEN SE CONNAÎTRE SOI-MÊME

Il est difficile de bien se connaître, car ou l'on se sous-estime, ou l'on se sur-estime. Or, pour se marier, il faut savoir quelles sont ses capacités, ses limites, ses qualités et ses faiblesses. Il est alors facile de dire loyalement à son partenaire ce qu'on ressent et ce qu'on veut. Par cette recherche, on découvre les causes de son comportement, les raisons de ses préférences et de ses répugnances, ce qui motive les décisions finales. On comprend mieux les autres; on est plus large d'idées pour les juger. Celui qui ne se connaît pas est incapable de comprendre autrui, et à plus forte raison la partenaire qu'il s'est choisie.

Pour s'évaluer soi-même, il est bon de savoir comment les autres nous jugent. Robert Burns, le célèbre poète irlandais, dit dans un de ses vers: « Oh si quelque puissance nous faisait ce cadeau de nous voir comme les autres nous voient ». Pour ce faire passons au crible nos qualités et nos défauts, notre façon d'envisager les choses, les buts que nous poursuivons, la valeur de notre personnalité. Les autres nous jugent-ils faibles, indécis, vindicatifs, imbus de nous-mêmes? Si les avis sont partagés, nous devrons en découvrir la raison. Cet examen de conscience, qui n'est pas simple, constitue une excellente préparation au mariage.

Si vous ne vous connaissez qu'imparfaitement, comment voulez-vous que votre conjoint pénètre les mystères de votre personnalité? Est-il honnête de l'obliger à ce voyage d'exploration en terre inconnue?

BUTS, VALEURS ET INTÉRÊTS

Pour bien choisir son partenaire, il faut tout d'abord savoir exactement ce qu'on veut, et qui l'on veut. Il faut donc savoir les buts qu'on poursuit, et la valeur qu'on y attache, les intérêts qui nous font agir. Il faut aussi découvrir comment satisfaire et discipliner ses désirs. Nous parlons ici des buts particuliers et non de ceux que la tradition impose ou reconnaît. Ce qui fait la véritable force d'une personnalité, c'est sa persévérance vers les buts qu'elle s'est fixé, afin de vivre réellement son idéal.

En se fixant des buts, le jeune homme et la jeune fille donnent un sens à leur vie. Ils sont confrontés à différents problèmes, qu'ils doivent analyser objectivement pour les résoudre intelligemment. Le jeune homme — ou la jeune fille — qui applique cette méthode apprendra à distinguer, en lui et en son futur conjoint, les traits de caractère dominants, les traits secondaires et il saura comment réagir à leur endroit. En réfléchissant à la manière d'atteindre les buts prévus, en persévérant dans cette quête, toute la conduite et l'attitude du sujet s'en trouvent imprégnées, voire modifiées. Or le choix d'un conjoint se sanctionne par une grave décision, il faut beaucoup de sérieux pour s'assurer de la compatibilité des deux caractères en présence.

Il n'est pas toujours facile de savoir si on poursuit avec patience et sérieux les buts qu'on s'était fixés, si les centres d'intérêt restent les mêmes, si l'échelle des valeurs est stable. Pour répondre à cet examen, il faut avoir établi si on s'emballe facilement pour choses et gens, si on s'en déprend vite, ou si on a l'habitude de poursuivre ses plans jusqu'à leur achèvement. Est-on capable d'autocritique? Sait-on prévoir si les buts recherchés sont réalisables ou s'ils dépassent nos forces? Ces thèmes, et d'autres du même genre, devraient être discutés avec des personnalités qui ont l'expérience de la vie et beaucoup de sagesse, comme d'ailleurs avec le futur conjoint. Chacun exposera sa manière de voir, ses convictions. Après les avoir écoutés, leur interlocuteur discutera des idées données et mettra en lumière tenants et aboutissants.

SAVOIR SE DÉCIDER

Lorsqu'on veut se marier en faisant un choix judicieux — qui sera influencé, nous l'avons vu, par des facteurs inconscients, un attrait sentimental et sensuel — il faut d'ores et déjà savoir prendre des décisions fermes. Mais cette capacité de choix nécessite une bonne maturité et dépend des bases morales dont dispose le sujet. Si ces bases morales déterminent sa conduite, il n'aura pas de peine à prendre une décision raisonnable, puis à s'y tenir.

Cette fermeté de caractère prend tout son sens lorsque des parents, des amis ou des proches cherchent à saper la confiance et l'estime mutuelles des deux fiancés. Pour rester inébranlable dans une décision, il importe qu'elle soit juste: le cœur parle, bien sûr, mais s'y ajoutent les voix de la raison et de la conscience, qui renforcent les positions prises. Personne n'a, de naissance, la faculté de prendre des décisions intelligentes: c'est un sens qui s'acquiert à force d'exercice et de patients efforts. La personnalité s'en trouve enrichie.

Les jeunes peuvent donc être reconnaissants à leurs parents qui leur apprennent à prendre leurs responsabilités. Toutes n'ont pas le même degré d'importance: l'organisation des loisirs, le choix de l'habillement, l'élection des amis et le choix d'une profession.

LA COMPRÉHENSION

C'est la faculté de se mettre à la place de quelqu'un d'autre, et de prendre des décisions ou de faire son choix en tenant compte des sentiments de l'autre et des siens propres. On admet que l'autre a ses raisons,

on accepte qu'il ait son point de vue et on veut qu'il respecte le nôtre,
et que chacun en fasse autant.

Les gens diffèrent beaucoup dans leur interprétation des attitudes et
des intentions de leur entourage; ils saisissent plus ou moins rapidement la véritable situation de leur interlocuteur et en déduisent logiquement quelle sera sa décision et l'importance qu'il lui accordera.
Depuis que le mariage est une institution de plus en plus démocratique,
il est important que les fiancés connaissent leurs points de vue réciproques et leurs sentiments, afin qu'ils prennent des décisions auxquelles
ils se rallient tous deux.

Suivant le degré de sa compréhension, le jeune homme est ou n'est
pas mûr pour le mariage.

Les fiançailles permettent de mieux se rendre compte de ces aptitudes.
Les décisions se prennent-elles en commun ou l'un des fiancés tranche-
t-il pour l'autre? Dans ce dernier cas, s'en rend-il compte et pourquoi
agit-il ainsi? Veut-il indiquer par là que c'est *lui* qui prend la décision
pour le couple car d'évidence c'est lui qui y est le plus apte? Son
partenaire est-il d'accord pour lui laisser la décision parce qu'il recon-
nait sa compétence? Voit-il la possibilité de transformer ou de modifier
la situation ou pense-t-il que, pour que la situation change, c'est le
partenaire qu'il faudrait changer?

Si, pendant les fiançailles, on se laisse dominer en montrant de l'indul-
gence pour ce petit travers après le mariage il sera difficile de modifier
la situation. Les décisions prises unilatéralement pendant les fiançailles
peuvent mettre en vedette un des partenaires mais deviennent rapidement insupportables dans la vie conjugale.

PERSONNALITÉ, INDIVIDUALISME ET AMOUR

La personnalité d'un individu est faite d'un ensemble de caractéristiques. Certaines indiquent s'il est mûr pour le mariage: claire connaissance de soi-même, qualités morales, empire de soi, esprit d'initiative,
confiance en soi, respect de soi et de ses semblables, compréhension des
sentiments, des besoins et des motivations d'autrui.

Cet individualisme requiert un certain courage, indispensable dans le
mariage. L'être courageux est seul capable de se donner entièrement —
et l'amour n'est-il pas précisément don de soi? L'individu indépendant
se sent sûr de lui: il peut se donner, il est donc capable d'aimer.

Celui qui réclame avec véhémence des témoignages d'amour est souvent bien incapable d'en donner. Généralement nous recevons l'amour que nous offrons nous-mêmes: celui qui pense aimer davantage parce qu'il a besoin de constantes preuves d'amour n'a guère compris l'essence du mariage et il lui reste beaucoup à apprendre. Le mariage permet d'exprimer l'amour qu'on ressent, il n'apprend pas à aimer.

COMMENT SAVOIR QU'ON N'EST PAS MÛR POUR LE MARIAGE

Quand un des fiancés est très dépendant de ses parents et de son entourage, il n'est pas mûr pour se marier. Il ne sait pas ce qu'il veut et laisse ses proches décider à sa place. Comme ses convictions ne sont pas très fermes, il n'a pas d'autonomie et d'individualisme réels. S'il se marie alors, il continuera à dépendre de sa famille ou s'en remettra entièrement à son conjoint pour toute décision. C'est le genre de mari qui s'attend à ce que sa femme prenne la relève de sa mère et lui prodigue les mêmes petits soins; c'est le genre de femme qui cherche auprès de son mari la protection qu'elle avait de son père.

Certaines femmes que leur rôle d'épouses inquiète et rend peu sûres d'elles préfèrent se montrer entièrement dépendantes de leur mari; elles pensent que cette forme de fragilité les rend plus séduissantes, car elles flattent ainsi l'orgueil masculin. Ce sont des épouses passives et enjôleuses qui s'entendent à aliéner l'indépendance de leur compagnon au point qu'il trouve bientôt intolérable ce manque de liberté. On remarque aussi, dans les divorces, que les conjoints n'ont pas su échapper à l'influence de leurs parents et que cette inaptitude a joué un grand rôle dans leur échec.

Il arrive aussi que l'on considère le mariage comme une sorte de panacée psychothérapique. C'est ainsi qu'on dit parfois: « Ses problèmes se résoudront d'eux-mêmes quand elle sera mariée! » ou: « Ce qu'il lui faut, c'est une femme qui sache s'en occuper! » Ce serait prétendre qu'à l'homosexuel, l'alcoolique invétéré, l'être solitaire ou celui qui manque de maturité, l'homme qui souffre de dépression, etc., il faille, pour guérir, une victime consentante avec certificat de mariage... Un exemple frappant et tragique de ce genre d'illusion, toujours déçu ensuite, c'est celui de la femme qui épouse un alcoolique avec l'espoir que l'amour qu'elle lui porte et le rôle de « bonne épouse » qu'elle jouera dans sa vie lui donneront la force de vaincre son vice. Il est tout aussi faux de croire que les problèmes des célibataires se résolvent obligatoirement par le mariage. Au contraire, il est indispensable que les difficultés caractérielles soient antérieurement aplaies. Notre propos s'applique aussi à ceux qui entendent, par le mariage, s'assurer l'infirmière de leurs vieux jours...

Il est également risqué d'épouser un être intolérant, qui s'imagine toujours que seule sa manière de voir est la bonne. Il est préférable de choisir un conjoint qui accepte volontiers de discuter des problèmes qui se posent à tous les couples. Ne prenez jamais l'entêtement pour un signe de caractère et de volonté: il témoigne au contraire d'un esprit obtus et borné. L'entêté est comme le chêne de la fable, qui casse mais ne plie pas.

Une menace sur le couple plane si l'un des fiancés ne cesse de faire valoir ses droits en passant sous silence ses devoirs. Citons l'exemple typique de la fiancée qui demande: « Et en cas de divorce qui aura les meubles? »

Disons pour terminer que tout être qui estime donner plus qu'il ne reçoit n'est pas prêt pour le mariage. Le mariage n'est pas un marché, c'est un libre échange de qualités de même valeur qui se complètent.

Evidemment, si on prenait au pied de la lettre les critères que nous venons d'énoncer, il y aurait bien peu de gens faits pour le mariage! Mais en vivant côte à côte le mari et la femme qui le veulent se rapprochent peu à peu de cette collaboration idéale. Ce que nous voulons ici c'est que les jeunes qui nous liront prennent conscience de ces problèmes pour qu'ils puissent en discuter durant leurs fiançailles et y trouver une solution conforme à leur cas.

Comment choisir son conjoint

Nous l'avons déjà dit, ce choix se circonscrit généralement à une race, à un certain milieu social, à une similitude de religion, de moeurs, d'âge et de situation géographique. Ces données sont importantes pour la sociologie mais perdent leur signification au niveau du cas particulier. Quel est le rôle de certains de ces facteurs dans le choix qu'on fait de son compagnon?

FACTEURS PHYSIQUES

L'âge

Voici un point sur lequel tout le monde, ou presque, est d'accord. Le degré de maturité des fiancés a plus d'importance que les différences d'âges indiquées par l'état-civil. On estime habituellement qu'une différence de 5 ans ou moins est négligeable. Dans nos civilisations les hommes épousent généralement des femmes plus jeunes, probablement parce que leur développement physique et sexuel est plus lent que celui de la femme et leurs études plus longues. L'homme qui épouse une femme plus âgée que lui le remarque davantage quand il la compare aux épouses de ses amis, qui sont ses cadettes.

Quand la différence d'âge est grande, les transformations glandulaires n'interviennent pas au même moment et d'autres facteurs physiologiques et psychiques peuvent provoquer des besoins ou des désirs différents chez les deux partenaires. Il ne faut pas oublier que l'homme est capable d'engendrer plus longtemps que la femme. Mais habituellement la différence d'âge est d'une importance mineure.

Attirance physique

L'attirance physique qu'ils éprouvent l'un pour l'autre stimule l'intérêt des partenaires, mais la définition de cet attrait varie beaucoup suivant les individus. La notion de beauté est très différente d'un sujet à l'autre. Ce qui importe surtout c'est, quoi que pense l'entourage, l'attirance de deux êtres l'un pour l'autre. Chaque être a ses goûts et l'objet de son choix doit y correspondre. Il est clair que personne n'aurait l'idée d'épouser quelqu'un dont il aurait honte. Parce qu'ils reconnaissent à leur femme un physique ingrat, les maris qui vantent leurs qualités ménagères ou morales ne sont, peut-être, pas tout à fait sincères...

Mais il faut également se garder d'épouser quelqu'un pour sa seule beauté. Son caractère, ses qualités auront pour la réussite de la vie conjugale plus d'importance que son visage. Les jolies femmes sont parfois paresseuses et chicanières et les hommes qui ont un beau physique s'imaginent que tout doit mieux leur réussir qu'aux autres. Il y a toujours une grande rivalité autour de cette beauté qui, on le sait, ne durera pas éternellement.

Celui qui se soigne, surveille son poids et fait régulièrement de la gymnastique se maintient en bonne forme physique et soigne du même coup sa santé psychique. Tous les esthéticiens le disent, le bonheur est un véritable bain de beauté. C'est également important d'avoir et de garder de l'allure, un aspect soigné car, si les critères de beauté diffèrent, personne n'aime les gens négligés ou peu soignés.

Santé physique

La beauté et la santé vont toujours de pair. Les couples ne devraient rien ignorer de leur état de santé, à l'un et à l'autre. L'examen médical prénuptial devrait se généraliser de même que le contrôle annuel. C'est au médecin qu'il appartient de répondre à ces importantes questions: son consultant est-il en bonne santé? A-t-il une bonne résistance? Est-il physiquement apte à fonder une famille? Sinon quelles conséquences pourraient avoir les maux dont il souffre? Sa famille présente-t-elle des tares héréditaires, physiques ou psychiques, ou des particularités susceptibles d'avoir une répercussion sur la vie maritale et familiale? Certaines infirmités physiques — réelles ou imaginaires — servent d'excuse pour échapper aux devoirs conjugaux ou à certaines responsabilités sexuelles du mariage.

Quand le médecin aura examiné la fiancée, il dira si son état de santé lui permet d'attendre des enfants sans accidents prévisibles. Cet examen permettra de savoir si les organes de la reproduction fonctionnent normalement chez les futurs conjoints ou s'ils présentent certaines lacunes. L'homme donne-t-il des signes d'impuissance ou présente-t-il des tendances à l'éjaculation prématurée? Y a-t-il chez la femme des obstacles moraux ou physiques à l'orgasme?

Même si toutes ces questions ne peuvent recevoir une réponse définitive et péremptoire, il est indispensable d'en discuter avec son médecin, qui bannira les craintes injustifiées et fera toute la lumière sur les questions que les fiancés soulèveront.

Il est bien rare qu'une rupture des fiançailles survienne après cette visite médicale, mais il est normal qu'avant le mariage chacun sache à quoi s'en tenir sur l'état de santé de son partenaire. Même dans les cas où le médecin découvre chez l'homme une stérilité consécutive aux oreillons ou, chez la jeune femme, des troubles de l'ovulation qui rendent improbable ou impossible une grossesse, les fiancés ne décident pas nécessairement de rompre. De toute façon il vaut mieux que la situation soit claire car on évitera ainsi une déception.

La race

La race se manifeste principalement par des caractéristiques physiques. A notre époque de déplacements et de voyages, les mariages entre gens de races différentes sont plus fréquents, mais on les envisage différemment suivant les familles, les amis et la société dont on fait partie.
Très souvent les barrières raciales sont si sévères qu'un mariage qui en fait fi risque de devenir un terrible handicap. Ces unions sont plus ou moins bien tolérées, suivant le métissage: noir-blanc - blanc-jaune - jaune-noir, et suivant le niveau social et économique du couple. Lorsque les conjoints sont rejetés par la société, les enfants souffrent terriblement de cette mise à l'index.
Pour qu'un mariage entre races différentes soit une réussite, il faut que les deux partenaires soient parfaitement unis et que les bases de cette union soient fondées sur le roc. Les différences culturelles et sociales très marquées devront être assimilées et il sera toujours difficile de prévoir quand l'influence d'un des partenaires cessera au profit de l'autre.
Biologiquement, il n'y a ni avantages ni inconvénients à une union de ce genre. Mais ceux qui l'envisagent doivent s'efforcer de connaître à fond les différences qui séparent les deux races afin de juger s'ils les acceptent pour eux et pour leurs enfants. Dans l'état actuel des choses, on les considère comme des pionniers.

Séduction physique

Les biologistes estiment que la séduction physique est fondamentale car c'est grâce à elle que se perpétue l'espèce. Les psychologues pensent que l'instinct sexuel est la source de bien des motivations et facilite quantité d'activités journalières nécessaires à une union heureuse. Les sociologues reconnaissent que la sexualité a une influence sur l'harmonie familiale et la stabilité de la société; la plupart des gens apprécient son rôle, qui donne au mariage toute sa signification. Mais malheureusement il y a toujours des êtres qui ne voient dans la sexualité — même dans le mariage, mais surtout pendant les fiançailles — qu'une ennuyeuse nécessité, une faiblesse de la chair, un acte qui ne peut s'accomplir qu'en cachette. En général ils ont eu une éducation rétrograde ou on leur a inculqué des principes religieux mal interprétés ou détournés de leur véritable signification par des gens que les questions sexuelles rebutaient et qui ne les ont pas comprises.

La sexualité et le mariage sont intimement liés et certains estiment même que ces deux mots sont synonymes. Lors de récentes enquêtes sur les questions sexuelles, on a découvert tant de liaisons ou d'unions libres qu'on en a conclu que l'institution du mariage était en voie de disparition.

Quelle est la portée de la sexualité dans le mariage? Quelle est sa signification? Le plaisir sexuel couronne l'amour de deux êtres mais s'il n'est pas complet ou s'il est différemment partagé, l'amour ne s'en ressent guère; encore faut-il que les époux s'entendent bien. On prétend que l'accord sexuel n'entrerait que pour 20 % dans la bonne harmonie d'un couple, et qu'il perd de l'importance au cours des années. Il existe à ce propos une amusante anecdote: chaque fois que les époux ont des relations sexuelles au cours des 5 premières années de leur mariage, ils mettront une fève dans un bocal; mais, dès la 6e année, ils retireront une fève chaque fois qu'ils auront des rapports intimes, sans parvenir, dit-on, à vider le bocal.

En fait, au cours de leur vie commune, l'homme et la femme tissent d'autres liens et s'intéressent à d'autres sujets: ils partagent des soucis causés par leurs enfants, ils décident de l'administration des biens du ménage, ils se soignent quand ils sont malades et font bien d'autres expériences communes qui transforment leur amour en camaraderie et font d'eux à la fois des parents et des amants.

La fréquence des relations sexuelles diminue peu à peu, mais avec une compensation, car les époux pensent davantage l'un à l'autre et s'apprécient mieux lors de l'acte sexuel qui provoque une émotion plus profonde et plus complète.

Si l'on attribue tant d'importance à l'incompatibilité sexuelle, c'est qu'elle est très fréquemment mentionnée lors des divorces. Il faut bien comprendre que l'incompatibilité dans ce domaine ne provient jamais de la morphologie des organes génitaux et qu'elle peut tout au plus en être une conséquence. Elle relève d'une crainte psychique, d'un blocage émotionnel, provoqué par de nombreux facteurs qui ne sont pas nécessairement liés aux questions sexuelles mais ressortent du comportement respectif des partenaires, de la situation financière du couple, des obligations sociales et professionnelles, de la conception différente des loisirs, etc., etc. Comme personne ne prend l'initiative d'une explication à cœur ouvert, la tension augmente jusqu'à provoquer parfois des troubles qui se répercutent sur les relations sexuelles du couple. Comme les relations amoureuses sont physiques et qu'il est facile de constater le plaisir qu'elles provoquent ou ne provoquent pas, on en fait souvent le baromètre du bonheur matrimonial. Et pourtant, n'est-il pas significatif que lorsque les sujets de mésentente disparaissent, les relations sexuelles s'améliorent?

La jeune fille dotée d'un beau corps et d'un beau visage sera courtisée par de nombreux jeunes gens, et le beau garçon connaîtra des succès. Quand ces charmes on atteint leur but, quel est le rôle de ces facteurs sexuels? Cette attirance dissimule les différences et crée illusoirement des réconciliations entre caractères incompatibles. C'est ainsi que se maintiennent des relations près de se rompre. Bien des jeunes couples refusent de voir les problèmes qui se posent pendant leurs fiançailles. Mais si l'attirance sexuelle suffit à faire tenir des fiançailles, elle ne suffit plus à faire un bon ménage. Les facteurs sexuels deviennent dangereux quand leur influence est dominante pendant les fiançailles et empêche d'examiner à fond les autres domaines critiques concernant le bonheur dans le mariage. L'attirance sexuelle est bonne en soi, mais elle peut causer certains torts quand elle empêche les jeunes d'explorer d'autres domaines où ils devront trouver un terrain d'entente.

Comment se rendre compte avant le mariage s'il y a compatibilité sexuelle ou non? Le jeune homme estimera sans doute que des relations sexuelles serviront de pierre de touche, mais ce n'est pas si simple... En dehors des restrictions sociales, morales et personnelles et des conséquences de ces relations (dont nous avons discuté au chapitre 3), il faut se souvenir que la jeune femme est plus lente émotionnellement à connaître le désir sexuel et le plaisir. Elle a généralement besoin d'un mélange d'amour, de sécurité et de considération sociale. De plus, sans peut-être s'en rendre compte, elle considère que ses organes sexuels sont faits pour la reproduction (l'homme n'envisage pas les choses sous cet angle), ce qui n'est pas incompatible avec le plaisir mais ne peut s'en dissocier entièrement. D'autre part certains jeunes couples, enchantés de leurs relations pré-nuptiales, s'imaginent que cette entente va se prolonger le temps de leur union. Mais s'ils ont des problèmes dans d'autres domaines, leur satisfaction sexuelle diminuera. Bref, les relations pré-nuptiales ou celles qui unissent un jeune couple pendant sa lune de miel ne sont pas forcément les gages d'un bonheur inaltérable.

La cour que l'homme fait à la femme, ses baisers et ses caresses, révèle à la plupart des couples, même sans « essais » plus poussés, s'ils peuvent s'entendre physiquement. L'attirance sexuelle et l'entente mutuelle se développent harmonieusement au cours du mariage. Certaines divergences inévitables peuvent évidemment subsister.

FACTEURS SOCIAUX ET FINANCIERS

« Elle a déniché un beau parti »... voilà une petite phrasse qui semble bien indiquer que la jeune fille dont on parle épouse quelqu'un d'un milieu social et financier supérieur au sien. Si tel est le cas, elle se fait sans doute certains soucis quant au bonheur de cette union. Des études nous apprennent que les facteurs économiques (sauf dans les cas d'indigence) n'ont pas d'influence significative sur le mariage; pourtant certaines personnes continuent à s'imaginer le contraire sans qu'on sache exactement pourquoi.

Vis-à-vis de l'argent, l'attitude de l'individu influence fortement ses motivations. Ce qui, au début d'une union, paraît être une saine politique d'économies ou de légitimes ambitions peut par la suite révéler l'avarice. Celui qui s'intéresse beaucoup à l'argent se livre moins bien affectivement. Bien sûr, il n'est pas question de mépriser l'argent, mais attention à ceux qui y voient un signe de puissance ou un symbole de leur propre valeur. Le gaspilleur et l'avare ne sont guère faits pour le mariage, où tout est don réciproque. On pourrait comparer le mariage à un compte en banque des sentiments, où chacun des deux époux investit ce qu'il ressent: aussi longtemps que ce compte est créditeur, les questions d'argent se résoudront sans difficulté.

Dans notre civilisation, le rang social et le revenu sont étroitement liés. Suivant le salaire ou le revenu, certaines possibilités s'offrent qui seraient exclues d'un budget plus modeste. Aussi l'individu qui a été élevé dans une famille cossue s'habitura-t-il peut-être avec peine à un train de vie plus restreint et éprouvera-t-il une certaine amertume d'être privé des avantages qui, dans sa famille, lui paraissaient tout naturels.

Parfois les parents du conjoint le plus fortuné désirent aider le jeune ménage. Ils trouvent que l'avancement est trop lent et aimeraient que leurs enfants vivent sans tarder à leur niveau, oubliant qu'ils ont peut-être mis 30 ans à y parvenir. Leurs cadeaux, leur aide financière n'humilieront-ils pas le conjoint le moins fortuné? Il serait préférable qu'il les refusât car le jeune couple doit avoir son autonomie financière et non pas le constant besoin d'être épaulé par les parents. Cette indépendance prouve, d'ailleurs, que les jeunes gens, quel que soit leur âge, étaient mûrs pour le mariage. Il y a trop d'adolescents qui ont pris l'habitude de voir tous leurs désirs exaucés par leurs parents. Ni leur éducation ni leur expérience ne leur ont appris que les biens matériels s'acquièrent par un travail acharné. Il est donc préférable que les jeunes couples apprennent à faire eux-même face à leurs responsabilités. Les parents ne devraient pas leur offrir d'aide financière, à part bien sûr le billet glissé à l'occasion, quand on sait qu'il sera le bienvenu.

La seule exception à cette règle, c'est de financer à une fille ou à un fils mariés le cours de perfectionnement qui lui permettra de parfaire ses connaissances. Dans ce cas il ne s'agit pas d'un cadeau ni d'une aide, mais d'un placement sur l'avenir.

Les facteurs financiers et matériels ne sont cependant que d'une importance secondaire, les différences sociales étant plus importantes et plus marquantes. Les manières d'un individu, son éducation, ses habitudes amoureuses, ses loisirs, sa façon de se vêtir témoignent du milieu où il a été élevé et l'on sait vite s'il est né dans la bonne société, dans les basses classes ou dans la moyenne bourgeoisie. Pour éviter une mésalliance, nous recommandons aux fiancés de bien examiner les différences qui les séparent, d'adopter un juste milieu ou tout au moins de préjuger de l'influence que ces différences auront sur leur bonheur en ménage. Pour cela, il faut passer beaucoup de temps avec la famille du futur conjoint, ses amis, son cercle de connaissances. En vivant avec lui quantité d'expériences diverses on verra si la vie commune ne risquera pas de faire surgir des difficultés.

EDUCATION ET CENTRES D'INTÉRÊT

Le niveau d'instruction, le degré de culture et le climat intellectuel du foyer familial forgent l'image des satisfactions conjugales qu'on est en droit d'attendre. Si les deux époux pensent que le mariage est un dialo-

gue qui permet un constant échange d'idées en vue d'un progrès, il vaut
mieux que les conjoints soient de même niveau intellectuel. Sinon, insa-
tisfait, celui qui possède le plus grand bagage ne tarderait pas à s'ennuyer.
Par exemple ce serait le cas d'un couple dont la femme n'aurait fréquenté
que l'école primaire, tandis que son mari, après des études universitaires,
exerce une profession libérale qui le porte à des spéculations et à une
activité cérébrale constante.

Mais dans ce domaine les avis sont également partagés. Certains couples
estiment que, puisque c'est le mari qui mène la barque, il est normal
qu'il soit intellectuellement supérieur à sa femme.

Quand les époux ont fait des études dissemblables, que leur intelligence
est réelle mais différemment orientée, il ne saurait être question d'obstacle. Par exemple, il faut qu'en public tous deux puissent, sans timidité
ni gaucherie, soutenir une conversation originale. Il faut que les deux
époux aient une faculté de compréhension à peu près égale, sinon celui
des enfants qui hériterait des caractéristiques du conjoint le moins doué
décevrait obligatoirement l'autre.

La similitude des centres d'intérêt joue dans le mariage un rôle important,
mais il est difficile de changer d'optique du tout au tout. Dès l'âge de
17 ans — au plus tard vers 25 ans — les centres d'intérêt d'un individu
sont relativement déterminés. Il est rare qu'un changement radical intervienne dans les années qui suivent; on s'en tient généralement à une
activité dont on a quelque expérience.

Il serait donc hasardeux d'espérer faire siens les pôles d'intérêt de son
conjoint. Un fiancé qui n'aime pas la danse n'y trouvera pas davantage
de plaisir une fois marié. Il faut donc examiner les centres d'intérêt
communs qu'on pourra partager et voir ceux qu'il faudra nécessairement
abandonner (si on adore canoter, voir comment ce goût serait conciliable
avec l'horreur de l'eau qu'a la fiancée...).

LA RELIGION

Chaque année le nombre des mariages interconfessionnels augmente. On
les appelle officiellement « mariages mixtes », qu'ils soient contractés
entre protestants et catholiques, juifs ou adeptes d'autres religions. Il
semble que ce terme de « mariages mixtes » pourrait s'étendre aux unions
entre personnes d'âges, de classes sociales différents ou d'autres niveaux

intellectuels, mais en fait cette expression ne s'applique qu'aux mariages interconfessionnels.

Afin de préserver la pureté de leur doctrine, la plupart des religions s'opposent aux mariages mixtes. Dans ce but certaines confessions ont édicté des lois et des règles très dures: c'est le cas de l'Eglise catholique romaine, qui demande aux futurs époux un engagement écrit selon lequel le conjoint catholique ne sera jamais contrecarré dans l'exercice de sa religion et les enfants à naître seront élevés dans la foi catholique. Ces dernières années, on note d'ailleurs une moindre rigueur de l'Eglise catholique.

Les jeunes gens qui dansent ensemble ou se retrouvent à des réunions amicales peuvent trouver oiseux de discuter de leurs opinions religieuses. Pendant les fiançailles un échange d'idées à ce sujet n'est pas toujours bien probant. L'amour submerge tout, laissant à l'arrière-plan l'éducation des enfants et les opinions religieuses. On y songera le moment venu. Si les fréquentations se prolongent, les jeunes gens prennent des décisions ou adoptent des compromis en vue de leur mariage, concernant le budget familial, leurs amis et leur foi religieuse. A la naissance du premier enfant les différences de religion peuvent prendre de l'importance pour le père et la mère et pour la belle-famille. L'enfant sera-t-il baptisé? Ira-t-il à l'école du dimanche?

Mais le couple peut aussi ne pas procréer. Les conjoints qui ont fait un mariage mixte se rendent peut-être compte qu'avec l'arrivée des enfants des problèmes se posent. Il y a beaucoup de ménages sans enfants parmi ceux qui ont fait un mariage mixte, ce qui tendrait à prouver la prise de conscience de difficultés sous-jacentes.

La fonction même de la famille est de perpétuer les traditions. Quand les parents sont de religions différentes, la famille a une culture hybride et l'enfant peut être ballotté entre les deux pôles familiaux avant de choisir sa religion, sa philosophie et sa manière de vivre. Quand l'enfant se rend à l'église avec sa mère, il pose invariablement la question: « Mais pourquoi Papa ne vient-il pas avec nous? » et il est difficile d'y répondre sans prendre parti.

Notre religion imprègne toutes les phases de notre vie, dans ce qu'elle a de plus intime; le mariage et l'éducation des enfants procèdent de cette intimité. Il est donc difficile de discuter utilement des différences religieuses en insistant sur la raison de nos croyances, car nous sommes tout imprégnés d'une certaine éthique.

Les fiancés de religions différentes se dégageront de leur orthodoxie et de leur affiliation religieuse pour s'attacher aux dogmes qui les rapprochent. Il faut examiner ce que chaque appartenance religieuse autorise ou défend, tolère ou prohibe, estimer la dévotion de chacun à sa propre religion; les fiancés décideront de l'église qu'ils fréquenteront, de leur éthique. Ils tiendront compte de ce que chacune de leurs églises recommande en matière de planing familial, d'éducation des enfants, de comportement sexuel et dans d'autres domaines dont nous avons parlé.

Les problèmes que posent les mariages mixtes sont-ils insolubles? Certainement pas. Certains ménages semblent très heureux. Souvent ces mariages tournent bien parce qu'un des partenaires choisit d'adopter la religion et la culture de l'autre, ou encore quand les conjoints se tournent vers une forme de religion plus libérale, qui est nouvelle pour tous les deux. Mais il est certain que le mariage mixte pose des problèmes supplémentaires.

On dit facilement que les mariages mixtes tournent mal ou finissent par un divorce. La réussite ou l'échec en ménage dépend de quantité de facteurs, et la religion en est un. Il est plus aisé de supporter des différences religieuses s'il n'y a par ailleurs aucune grande divergence de vue. Mais en tout cas ces problèmes doivent être évoqués et discutés *avant* le mariage.

L'AMOUR

Ceux qui sont mûrs pour le mariage sont aussi, sous bien des rapports, mûrs pour aimer. Il ne faut pas mésestimer l'amour romanesque où certains voient la condition sine qua non du choix. Le grand danger de ce concept, c'est l'idéalisation de l'élu qui résulte de ce que H.L. Menckes appelle « un état d'anesthésie de la perception ». Nous allons décrire avec plus de précision l'amour qui est nécessaire à la fondation d'un foyer car, avant de songer à fonder ce foyer, il faut être amoureux.

Certains esprits cyniques estiment que chercher une définition de l'amour équivaut à « faire quelque chose de rien ». Samuel Johnson dit à ce propos: « Si vous enfermez un homme avec une femme de sorte que leur bonheur dépende l'un de l'autre, ils tomberont inévitablement amoureux ».

Il faut noter que l'amour appelle de nombreuses définitions, même si on n'en accepte que quelques-unes. En réalité il est souvent difficile d'admettre qu'on parle du même sentiment, car il n'a pas de signification absolue.

La confusion qui se fait est due pour une bonne partie à ce que la conception de l'amour est nouvelle, quand elle s'applique au mariage. Les femmes dont l'Histoire nous livre le nom étaient exploitées, traitées comme des objets et entourées de tabous. Les mariages étaient de convenance et seuls les hommes avaient leur mot à dire. De toute façon l'amour n'avait guère de place dans leur vie.

Or notre société est d'avis que l'amour est la meilleure base du mariage... et ce qui est merveilleux, c'est que nous l'admettons implicitement sans savoir exactement ce que cela implique. Peut-être serait-il bon d'essayer de décrir l'amour ressenti pour quelqu'un qui pourrait devenir notre conjoint.

Pour exprimer l'amour dans le mariage, il faut que les conjoints sachent donner le meilleur d'eux-mêmes, qu'ils soient sincères et prêts à faire des sacrifices l'un pour l'autre. Quand on parle d'amour, on souhaite la réciprocité: « Je t'aime et j'espère que tu m'aimes aussi ». S'il n'y a pas réciprocité, il n'y a plus qu'un amour malheureux. Mais personne ne peut donner plus qu'il ne possède, et ce postulat se vérifie aussi en amour. Celui qui en a peu d'expérience saura mal l'exprimer. Le jeune homme, ou la jeune fille, a-t-il ou a-t-elle été entouré (e) d'amour dans sa famille? La réponse à cette question pourra indiquer si il ou elle est mûr pour aimer.

Dans ses relations avec la jeune fille qu'il courtise, le jeune homme doit avoir des égards et des attentions, comme la mère qui entoure son enfant d'affection, de soins, qui le protège, le nourrit, le console et le soutient. Aucune protestation d'amour ne paraîtra sincère si le jeune homme manque de délicatesse à cet égard. Il doit se demander honnêtement: « Est-ce que je veux par dessus tout assurer le bien-être et le bonheur de cette jeune fille, plus même que le mien? » et se poser encore la question: « Est-ce que je la soignerais si elle était malade? »

Le jeune homme qui est mûr pour l'amour et le mariage a du respect pour la personnalité de sa future compagne, mais il ne se mettra pas entièrement sous sa coupe ni ne la voudra trop dependante de lui. Il verra en elle un être irremplaçable, avec ses qualités et ses faiblesses. Il voudra qu'elle se développe harmonieusement selon ses goûts personnels et non pour s'adapter à ses propres préférences.

L'amour se reconnaît également au besoin du contact physique avec la personne aimée. « Je frissonne à ton contact » reflète bien la réalité, car ce contact physique stimule ceux qui s'aiment, les rend plus forts et les rassure, tout en les encourageant à explorer ensemble l'inconnu. Les gens qui s'aiment doivent éprouver un désir sensuel l'un pour l'autre et souhaiter avoir des enfants ensemble. Ils doivent se sentir bien l'un près de l'autre, parfaitement en confiance, comme si leurs deux voix chantaient à l'unisson, heureux de se voir et de se sentir proches, s'acceptant totalement l'un l'autre et sachant que leur mariage ne changera rien à leurs projets. Pour lui vouer ce véritable amour, il faut accepter quelqu'un totalement et l'apprécier tel qu'il est.

Ensemble tout doit paraître plus beau. Le proverbe qui dit que « l'amour est le meilleur médecin » est vrai dans une large mesure. La guérison se fait grâce à un processus psychologique connu, dont l'effet constructif se reflète sur la psyché. La personnalité se réorganise et l'être se trouve en possession de nouveaux moyens pour faire face à la vie.

Chacun a une immense importance aux yeux de l'autre. Il fut un temps où l'importance des femmes s'imposait, car elles étaient à la fois cuisinières, couturières, éducatrices, nurses, responsables du ménage et du travail de la ferme. Aujourd'hui où l'aisance est plus grande, la femme a abandonné plusieurs de ces fonctions domestiques où elle puisait une satisfaction, et elle se trouve de ce fait moins irremplaçable. C'est à l'homme de lui chercher des activités de remplacement et de lui désigner d'autres buts, qui lui donneront le légitime sentiment de son importance. Il en va de même quand un homme rencontre une femme qui satisfait ses besoins émotionnels et aux yeux de qui il se sent important: il pense qu'il a découvert la perle rare et cet amour lui paraît merveilleux.

Tous, nous avons soif d'estime et ne pouvons nous empêcher d'aimer plus encore quelqu'un qui nous apprécie.

Il est probable que les fiancés ne trouveront pas l'un chez l'autre l'être idéal qui satisfait tous leurs besoins. L'amour n'est pas un phénomène qui comble ou dévaste une vie, et nous n'avons relaté ici qu'une petite fraction de ce qu'il peut être. L'amour est une question de degré et aucun symptôme (pas même la « réaction d'alarme » — cœur palpitant et genoux tremblants) ne prouve avec certitude qu'on a raison ou qu'on s'est trompé... Ce dont nous avons discuté ici et les réponses données à certaines questions ne sont qu'un canevas sur lequel chacun brodera à sa guise.

Pendant les fiançailles, l'amour est encore « en puissance » et on ne peut guère lui demander plus. En employant le mot « amour » pour désigner des relations qui n'ont pas encore subi l'épreuve du feu et sont assez récentes en date, on utilise un terme un peu trop fort. C'est sans doute la cérémonie du mariage qui marquera le début de l'amour, au lieu d'en être le point culminant, comme on se l'imagine souvent. L'amour grandit au fur et à mesure que les conjoints partagent leurs expériences du mariage. S'ils sont tout d'abord tombés amoureux, ils vivront cet amour et en feront une réalité.

Les rôles respectifs de l'homme et de la femme

La compréhension mutuelle est d'une importance capitale dans les ménages. Les couples qui s'entendent mal disent: « Nous ne nous comprenons pas » ce n'est pas là une phrase vide de sens. Si avant leur mariage les époux avaient discuté de leur rôle respectif, ils auraient évité bien des points de friction. Il est toujours préférable de savoir d'avance comment on envisage telle ou telle question. Dire: « Mais nous discuterons de cela une fois mariés », prouve que l'on place après le mariage le début des concessions, tandis que les couples heureux en ménage ont pris la précaution de discuter de tout cela avant.

En examinant ensemble les problèmes qui se posent à tous les couples, on ne se contente pas de prévoir, pour les éviter, des conflits et des affrontements, mais on apprend à discuter constructivement en vue de solutions raisonnables et en tenant compte de l'avis de chacun. Le temps des fiançailles n'est pas celui d'une séduction réciproque dans une véritable béatitude qui prohibe tout sujet de friction... Quand on entend dire: « Nous ne nous disputons jamais », on a lieu de réfléchir... En définissant aussi clairement que possible leur manière de voir, les fiancés sentiront que tous leurs rêves ne se réaliseront pas, mais ils pressentiront que la vie réelle leur offrira d'agréables compensations.

Il faut envisager le problème des attributions et des responsabilités de chacun. L'homme doit-il être le chef de famille, le maître incontesté, celui qui prend les décisions et applique les sanctions? Le rôle de l'épouse consistera-t-il uniquement à préparer les repas, à entretenir l'appartement, comme une femme de ménage qui travaille dur, certes, mais occupe un rang inférieur dans la hiérarchie et contribue peu à l'organisation et à la direction financière et intellectuelle du ménage?

Combien de discussions seront nécessaires avant de savoir qui gérera les finances du ménage et comment la répartition s'en fera. Quels investissements les futurs époux prévoient-ils pour leur installation? Les problèmes d'argent seront-ils débattus ouvertement et démocratiquement? L'homme aura-t-il le complet contrôle financier, la femme recevant de lui l'argent du ménage, sans être consultée sur les placements ou les assurances? Le mari et la femme auront-ils le même compte en banque?

Quant à l'organisation du ménage, la femme en sera-t-elle la seule responsable? Sera-t-il prévu que chacun prendra sa part des tâches quotidiennes et participera à l'éducation des enfants?

La femme pourra-t-elle, si elle en éprouve le désir, poursuivre sa propre carrière et exercer une profession qui représentera un substantiel apport? Sinon, quels débouchés aura-t-elle? Dès sa petite enfance, la fille reçoit à l'école presque la même éducation que le garçon. On encourage son esprit de compétition et on la félicite d'être parmi les meilleures élèves. Réellement pouvons-nous imaginer que, tout à coup, elle puisse se satisfaire d'une vie où elle ne s'occupera que de son ménage, de son enfant, de son mari?

Combien d'enfants le couple désire-t-il? Leur naissance doit-elle s'étager sur plusieurs années et le cas échéant quelles méthodes contraceptives prévoit-on? Comment pense-t-on élever ses enfants, selon quelles théories? Comment les éduquera-t-on, sévèrement ou avec tendresse?

Comment envisage-t-on le plaisir sexuel? Jusqu'où chacun pense-t-il aller pour rendre l'autre heureux? Chacun dira ce qu'il trouve normal et anormal. Les réponses à ces questions permettront de voir à quoi l'un peut s'attendre de l'autre.

Evidemment, le caractère très intime de ces sujets ne permet pas d'en discuter de façon définitive, mais les réponses obtenues permettent pourtant de se faire une idée du comportement probable du partenaire.

Nous n'avons fait que suggérer quelques questions à débattre. C'est à chaque couple de trouver une réponse valable aux différents problèmes qui se poseront et qui peuvent être vitaux pour le bonheur du ménage. Si certaines questions paraissent insolubles, les futurs époux feront bien de demander conseil à une personne de confiance.

Conseils avant le mariage

Les conseils dont on abreuve ceux qui vont se marier ne sont pas une

nouveauté: parents et connaissances, amis, professeurs, pasteurs et médecins de famille se targuent de leur expérience pour donner un avis,
qui, le plus souvent, n'a pas été sollicité! Ces recommandations ne sont
malheureusement pas toutes judicieuses et bonnes à suivre.

Souvent les fiancés ont besoin de renseignements bien précis, qu'ils trouveront auprès de leur pasteur, d'un homme de loi ou d'un médecin. Mais,
non moins souvent, les questions qu'ils posent reflètent leur anxiété: ils
voudraient savoir s'ils sont faits pour le mariage et s'ils sont bien assortis.
Un certain nombre de problèmes les tracassent et ils n'arrivent pas à
les résoudre à leur satisfaction mutuelle. Dans ce cas, il vaut toujours
mieux s'adresser directement à un conseiller, spécialiste de toutes ces
questions.

Dans leur tâche journalière, bien des hommes abordent ces problèmes du
couple et doivent conseiller époux ou fiancés. C'est le cas des médecins,
spécialement des médecins de famille, gynécologues et psychiatres, des
psychologues, des hommes d'église, des travailleurs sociaux, des juristes
et des professeurs. Il est bien évident que les conseillers matrimoniaux
n'ont pas tous un égal talent. Mais dans toutes ces professions il y a des
personnes expérimentées qui peuvent aider les couples à ce que leur
union soit une réussite véritable.

Aux Etats-Unis, les conseillers matrimoniaux doivent avoir une préparation théorique et pratique de plusieurs années; ils doivent travailler
pendant 5 ans comme assistants de conseillers matrimoniaux patentés.
La prudence des autorités explique le grand rôle social et politique
dévolu à cette profession. Il est bien clair que celui qui a besoin de
conseils dans une affaire aussi vitale doit pouvoir s'adresser à une personne qui offre toutes les garanties et possède une excellente formation.
La tâche principale du conseiller matrimonial est de créer un climat de
confiance et de compréhension qui permettra aux fiancés, sous sa direction, d'exposer leurs problèmes et d'en rechercher les causes. Ensemble,
ils trouveront la meilleure solution. Dans la plupart des cas on constate
que la crainte du mariage n'est nullement fondée et qu'elle résulte
simplement de certaines lacunes ou de scrupules exagérés. Ces craintes
vaincues, le comportement personnel repose sur des bases saines et les
relations de jeune couple s'en trouvent affermies.

Parfois le conseiller matrimonial doit faire comprendre aux fiancés que
trop de choses les séparent pour que leur mariage soit heureux. La
décision finale leur appartient évidemment et ils n'ont pas à tenir compte

de son avis, s'ils ne sont pas convaincus de sa valeur. La rupture est toujours une amère déception pour les fiancés et leurs familles, mais le conseiller matrimonial qui a suggéré de la prendre est satisfait lorsqu'elle est prise. En effet, une rupture de fiançailles est toujours préférable à une union qui est d'avance vouée à l'échec.

Quand les fiancés décident de rompre, le conseiller matrimonial ne les abandonne pas pour autant: il essaie d'aider chacun d'eux à vaincre ses défauts et à surmonter ses faiblesses de caractère, afin de pouvoir, plus tard, envisager une union heureuse avec un autre conjoint.

Mais les fiancés ne savent pas toujours à qui s'adresser, vers qui se tourner. Lorsqu'ils ne connaissent pas de conseiller matrimonial, ils peuvent s'adresser à des organisations sociales, médicales et religieuses qui sont généralement bien équipées pour donner ces conseils et intervenir utilement.

CONSEILS MÉDICAUX

Aux Etats-Unis, pour obtenir une licence de mariage, il faut présenter un certificat médical attestant que les fiancés ont subi un examen général et que leur sang a été analysé. Quand on n'exige pas cette mesure, le risque subsiste que des syphilitiques contaminent leur conjoint, puis leurs enfants.

Dans les pays où n'est pas exigé ce certificat, attestant que l'intéressé n'a ni maladie vénérienne ni maladie héréditaire, il est sage de se soumettre à una visite prénuptiale. Elle donnera l'occasion de discuter librement des questions importantes que pose le mariage et qui, sinon, resteraient sans réponse.

Le médecin qui examine les organes génitaux des fiancés est habilité à les renseigner sur l'acte sexuel et, si on le lui demande, à leur parler du planing familial. Il pourra les questionner sur leur façon d'envisager le mariage, leur antécédents familiaux, religieux et sociaux et leurs craintes de ce que certains facteurs émotionnels, physiques ou familiaaux ne deviennent des agents de discorde au cours de leur union. Si les fiancés ont l'air d'être peu informés des problèmes de la vie commune et n'ont pas lu grand'chose à ce sujet, il leur donnera une petite liste de publications à consulter.

Le médecin examine séparément chacun des fiancés et, dans le silence de son cabinet, si l'un d'eux a certaines questions à poser qu'il n'osait aborder devant l'autre, il le fera en toute liberté. Pour terminer, le médecin fait connaître au jeune couple le résultat de ses auscultations et signale les insuffisances éventuelles qu'il a constatées dans le domaine émotionnel, psychique ou physique et qui pourraient mettre en danger leur union. Par exemple, il signalera l'appréhension des fiancés devant l'acte sexuel, la crainte de ne pas être à la hauteur des besoins sexuels de son conjoint, il relèvera les troubles fonctionnels, les maladies ou malformations des organes sexuels, etc. S'il y a lieu, le médecin exposera franchement les risques que peut comporter cette union et indiquera, le cas échéant, les mesures à prendre ou les traitements à suivre.

Examen de la jeune femme

La jeune femme devrait se soumettre à un examen médical général. Si à l'auscultation le médecin décèle une insuffisance du coeur, des poumons, des reins ou si l'analyse révèle certaines carences du sang qui pourraient influencer sa fécondité, la jeune femme doit en être informée et son fiancé doit également le savoir.

Un abrégé historique des règles est établi depuis leur apparition pour déceler d'éventuelles irrégularités et juger de leurs conséquences possibles. Un examen interne du pelvis doit être fait mais, lorsque l'hymen est intact, le médecin fixe un autre rendez-vous à la jeune femme après la consommation du mariage. Il vaudrait toutefois mieux que cet examen fût fait avant le mariage. Dans certains cas il serait sage de demander au médecin de couper l'hymen intact pour faciliter l'examen et diminuer les douleurs éventuelles de la défloration. C'est une petite intervention très simple et indolore. Mais la présence de l'hymen n'empêche pratiquement jamais un examen médical sérieux.

Si celui-ci démontre que tout est bien en ordre, la jeune femme se sentira rassurée. Mais le médecin devra lui dire s'il découvre quelque chose qui serait susceptible de troubler sa vie sexuelle ou le développement d'une grossesse, par exemple des écoulements vaginaux, des lésions de la matrice ou des particularités ovariennes et il lui fera suivre sans tarder un traitement adéquat.

La publicité actuelle a tout fait pour accréditer l'idée que les odeurs corporelles sont les ennemies jurées du bonheur conjugal. C'est pourquoi on doit aussi discuter, lors de l'examen médical, des problèmes d'hygiène féminine: utilisation des désodorants, des serviettes, des tampons et d'autres produits du même genre. Pour certaines femmes, les injections vaginales régulières sont inutiles, voir nuisibles, tandis qu'elles sont indispensables à d'autres. Certains produits utilisés pour ces injections peuvent être tout à fait contre-indiqués, s'ils n'ont pas été personnellement prescrits par le médecin. Le vagin contient habituellement des bactéries qui protègent ses membranes d'une inflammation ou d'une infection: en utilisant, pour les injections vaginales, des produits trop forts ou certaines préparations pharmaceutiques inadéquates, on rompt cet équilibre biologique et des troubles peuvent en résulter.

La nature pourvoit à la lubrification du vagin, rendant inutiles les injections faites sous prétexte d'hygiène intime.

Beaucoup de femmes font ces injections après chaque rapport sexuel, parce qu'elles se sentent mal à l'aise et redoutent que leur entourage ne détecte l'odeur du sperme. La plus grande partie de celui-ci s'écoule hors du vagin lorsque la femme se lève ou va uriner. Le sperme qui demeure dans le vagin ne développe aucune mauvaise odeur et n'a aucune mauvaise influence sur les muqueuses vaginales. Il est en tout cas tout à fait superflu d'employer pour ces injections des liquides parfumés: ils sont inoffensifs si on s'en tient exactement au mode d'emploi, mais ne lubrifient pas mieux que de l'eau et n'ont pas un meilleur effet contraceptif. Il suffit donc de laver à l'eau et au savon l'extérieur des parties génitales.

Pendant les règles, il est recommandé de prendre des bains tièdes, à la température du corps ou, mieux, des douches. Le flux de la menstruation peut produire une certaine odeur et les glandes sudoripares travaillent davantage à ce moment-là. A ce propos, le médecin exposera également quelles sont les bases de l'hygiène personnelle. Les bandes hygiéniques et les tampons présentent des avantages et des inconvénients. Leur choix dépendra de raisons personnelles, par exemple de l'importance du flux menstruel et des dimensions de l'hymen.

Le mariage consommé, il est possible d'utiliser des tampons, puisque l'hymen est rompu et l'orifice agrandi. Les femmes qui, jeunes filles, préféraient les bandes hygiéniques, utilisent souvent des tampons, quand elles sont mariées.

Le flux menstruel peut effectivement, au contact de l'air, dégager une certaine odeur. Pour y remédier, la plupart des bandes ou des tampons hygiéniques contiennent un désodorant. Pour répondre aux besoins suivant l'importance des pertes de sang, ces différents produits se trouvent couramment dans le commerce.

Examen du jeune homme

Le fiancé devrait également se soumettre à un examen médical général, qui est de toute manière plus rapide et plus simple que celui de la femme. Il est de son devoir de s'assurer que, physiquement, il peut pleinement remplir son rôle d'époux et de père.

Si le médecin détecte une faiblesse ou une maladie qui peut diminuer sa capacité de travail ou sa participation active à la vie de famille, les fiancés doivent en être informés.

Un bref exposé de sa vie sexuelle antérieure (maladies vénériennes éventuelles, difficultés d'ordre sexuel ou anxiétés psychiques) sera suivi d'un examen des parties génitales. Si certains symptômes font craindre des difficultés lors de l'acte sexuel (éjaculation prématurée, impuissance, prépuce très étroit et très tendu) ou pour la fécondation (suite d'oreillons, testicules atrophiés) le médecin conseillera un traitement approprié.

Les relations sexuelles

Pendant l'examen de chacun des fiancés ou lors de la discussion générale qui suit, le médecin indiquera au jeune couple comment surmonter les premières difficultés lors des relations intimes. Il arrive que des fiancés ignorent tout à fait ce que sont ces relations, ou s'en fassent une représentation mentale, mais n'imaginent pas comment cela se passe physiquement. Le médecin, dans ces cas-là, sur des planches anatomiques ou des modèles en plastique, donne les détails qui s'imposent.

Une vie sexuelle harmonieuse est importante pour le bonheur du couple, car la vie à deux n'est vraiment réussie que lorsque les époux se rendent mutuellement heureux. Souvent on se fait beaucoup d'idées fausses au sujet des réactions sexuelles de la femme. Biologiquement rien n'empêche la femme de prendre aux relations sexuelles autant de plaisir que l'homme. Mais il faut souvent vaincre certains tabous éducatifs, sa pudeur toute naturelle dans ce nouveau rôle. Sa sensibilité doit être délicatement éveillée par son mari. La plupart des hommes ne savent pas exactement comment ils aimeraient que leur femme se comportât sexuellement. Ils la veulent ardente mais se réservent l'initiative. Ils ne la veulent ni frigide ni trop avide de plaisirs sexuels.

La femme trop passionnée met souvent l'homme sur la défensive et il lui est difficile de reprendre l'avantage, car il a le sentiment qu'elle le défie de faire ses preuves. Beaucoup d'hommes ne désirent pas que leur femme leur fasse des avances; ils voudraient qu'elle leur témoignât son affection et son amour. Ils se méfient des femmes trop ardentes au plaisir et trop entreprenantes. Quoi qu'il dise, l'homme pense souvent qu'il y a quelque chose de bestial dans la sexualité et que les attitudes débridées ne conviennent nullement à une femme de son monde.

Mais un problème déconcertant pour l'homme se pose très fréquemment: c'est celui de la froideur féminine, voire de sa frigidité. Le manque de réceptivité, qui semble dénoter un certain rejet du partenaire, peut diminuer le plaisir; cette frigidité finit par décourager complètement l'homme, rendant même impossibles des rapports intimes. La femme frigide va jusqu'à éprouver par spasmes une crampe des muscles vaginaux (le vaginisme est un cas très rare) qui empêche la pénétration du pénis dans le vagin. Ou encore la tension et la contraction des muscles vaginaux rendent cette pénétration douloureuse: l'homme arrive difficilement à garder le contrôle de son pénis en érection, ce qui provoque une éjaculation rapide ou prématurée. L'homme est toujours terriblement troublé par la frigidité de sa femme; il la trouve attirante et désirable (en compagnie, elle se montre très aguichante) et il s'imagine qu'il est seul coupable de son insatisfaction et de son manque de réceptivité. Souvent la femme, inapte au plaisir, suggère cette interprétation.

A ce propos les médecins estiment qu'il faut savoir que les femmes désirables et habillées de façon provocante ne sont pas nécessairement de tempérament ardent. Ces femmes savent se servir de leur sexe pour attirer l'homme, mais cela ne veut pas dire qu'émotionnellement ou physiquement elles y trouvent du plaisir. La femme attirante et désirable qui n'éprouve rien ressemble à un athlète qui se regarde dans le miroir et développe sa musculature par un narcissisme égoïste, pour s'en glorifier et se faire admirer, mais non pour l'utiliser.

Cette attitude rétractive est devenue un problème, parce que la jeune femme la pratique depuis 20 ans ou plus et ne peut tout à coup, parce qu'elle est mariée, abandonner une habitude de longue date; peut-être ne sait-elle pas si elle avait le droit de se marier, si elle le désirait vraiment ou si elle pouvait faire une bonne épouse. Le désir d'une détente et l'amour de son mari pourront peut-être l'aider à se décontracter; mais comme beaucoup d'influences culturelles jouent leur rôle dans l'expression sensuelle du mariage, il vaut mieux que les deux époux sachent qu'une entente totale est rarissime au début de leurs rapports. La fonction biologique des rapports intimes s'accomplit aisément, mais pour éprouver une satisfaction émotionnelle, il faut du temps, de la patience et un effort mental des deux partenaires.

Les rapports sexuels se divisent normalement en trois phases: les caresses préliminaires, l'acte sexuel proprement dit, les caresses qui suivent l'acte.

Les caresses préliminaires

Avant tout se pose la question de la parfaite propreté corporelle; les parties génitales doivent être parfaitement propres avant les caresses et les jeux préparatoires.

Habituellement le désir de la femme est plus long à s'éveiller que celui de l'homme, et celui-ci doit l'aider à franchir ce cap. Pour être une partenaire active, la femme doit essayer d'éprouver le plus de plaisir possible, ce qui est lié pour elle à la certitude de se savoir aimée. L'homme doit se dominer et attendre que les jeux préparatoires et l'ambiance de tendresse dont il entoure sa femme entraînent l'érection des organes sexuels et que l'acte sexuel puisse s'accomplir jusqu'à l'orgasme et se terminer dans la volupté. Sans connaître véritablement l'orgasme certaines femmes peuvent avoir des rapports sexuels qui les satisfont. D'autres femmes, plusieurs fois mères, n'ont jamais éprouvé de profond plaisir à leurs rapports intimes et font de leurs expériences sexuelles des services rendus à leur mari, entre leurs grossesses.

Il est évidemment possible que la femme envisage ainsi l'acte sexuel et n'y trouve aucun plaisir. Ses zones érotogènes — lèvres, langue, seins (spécialement l'aréole), grandes lèvres, canal vaginal, clitoris — doivent être caressées et stimulées. Si l'excitation est suffisante, le désir de pénétration du pénis dans le vagin augmente. L'excitation de ces organes est normale, désirable, nécessaire, essentielle même. La femme commet souvent l'erreur de penser que l'homme sait intuitivement ce qu'il doit faire pour l'éveiller sensuellement. Il vaut mieux qu'elle indique à son partenaire sans fausse pudeur ce qu'elle ressent et les caresses qu'elle préfère. Ni gêne ni fausse pudeur ne sont ici de mise, pas plus que l'idée que certaines choses sont « normales » et que d'autres ne le sont pas.

Tous les jeux amoureux dont les partenaires éprouvent le désir sont autorisés. Le but de ces caresses est justement de permettre à l'homme et à la femme d'exprimer leur profond amour et le désir qu'ils ont l'un de l'autre.

La signification de l'acte sexuel s'en trouve sublimée et prend ainsi un sens émotionnel et spirituel. Les tabous désuets concernant ce qu'on peut faire et ce qui n'est pas permis dans ces jeux préliminaires peuvent abîmer le plaisir sensuel et l'aboutissement que veut la nature.

En plus des zones érogènes habituelles, certaines femmes réagissent à certaines caresses sur d'autres parties de leur corps, caresses qui laissent d'autres femmes tout à fait froides. Il est donc important pour les partenaires qui s'aiment de savoir quelles sont les caresses qu'ils préfèrent pour qu'ils puissent y trouver le plus possible de plaisir. C'est une des raisons pour lesquelles, dans les rapports intimes appelés à durer, la sensualité des partenaires se satisfait beaucoup plus que lors de brèves rencontres sans lendemain. Cette cohabitation permet de découvrir à quoi l'autre réagit le mieux et avec le plus de plaisir.

Les époux doivent se dire quand ils désirent se rapprocher plus intimement. La femme le montre à certains signes: par exemple ses glandes de Bartholin, à l'entrée du vagin, sécrètent un liquide qui lubrifie le canal vaginal pour mieux préparer la pénétration du pénis. On peut se rendre compte au toucher si cette sécrétion a commencé; cependant le désir de cette pénétration doit être mutuel et avoué.

L'acte sexuel

L'acte sexuel proprement dit commence avec la pénétration du pénis dans le vagin; la verge se meut par mouvements rythmiques et la femme y répond par des mouvements appropriés, comme par le jeu des muscles qui ferment le vagin, augmentant ainsi ses sensations et celles de son partenaire. L'excitation parvient à son point culminant, l'orgasme, où l'éjaculation masculine se produit. L'éjaculation a toujours lieu, mais sans amener nécessairement la volupté et le bien-être. Chez certains hommes l'orgasme se produit tandis que la tension diminue peu à peu, presque goutte à goutte. Si ce phénomène se reproduisait souvent, il pourrait être un signe d'impuissance partielle, mais il faut préciser qu'il peut arriver lorsque les caresses préliminaires se prolongent ou à la suite d'un trop grand contrôle de soi, quand l'homme attend que la femme atteigne l'orgasme en même temps que lui.

Dans la plupart des cas, l'homme éprouve une certaine volupté quand il atteint l'orgasme, même s'il ne se préoccupe pas beaucoup de satisfaire sa femme. Il est indispensable que la femme, de son côté, éprouve au moins un certain plaisir lors des rapports sexuels. Lorsque la détumescence se produit immédiatement chez l'homme et qu'il se retire aussitôt après l'éjaculation, la femme peut être privée de cette excitation et n'atteint pas la volupté. Si la femme n'arrive pas à cette détente mais en éprouve le désir et le besoin, elle devrait le dire avec tact à son partenaire. Il pourra alors essayer de la mener jusqu'à l'orgasme en lui caressant le clitoris, le vagin et d'autres points sensibles dont dérive cette excitation. Il devra désormais essayer de retenir l'éjaculation jusqu'à ce que sa femme le rejoigne dans le plaisir. Quant à elle, elle doit se laisser entraîner par ses sentiments pour que son excitation génésique croisse parallèlement à celle de son compagnon, afin qu'il n'ait pas à se contrôler trop longtemps, ce qui pourrait entraîner les signes d'impuissance dont nous avons parlé. Il est faux de s'imaginer que la femme doit atteindre l'orgasme lors de chaque rapport sexuel. En réalité il est peu probable que les deux partenaires éprouveront toujours le même plaisir, au même moment, et connaîtront chaque fois la détente euphorique qui suit l'orgasme; l'idéal serait qu'ils éprouvassent très fréquemment cette intense volupté. Il est évident que les rapports sexuels ne sont un accomplissement que si les deux partenaires y trouvent une certaine satisfaction. *La femme ne doit pas s'imaginer qu'elle doit, sans plus, se soumettre passivement aux désirs de son compagnon.* Tous deux doivent s'entraîner l'un l'autre pour arriver ensemble à la volupté, se confier les caresses qu'ils préfèrent et ce qui les sépare encore du moment suprême.

Comment l'homme s'aperçoit-il que la femme est parvenue à l'orgasme? Plus par des témoignages émotionnels que par des manifestations physiques — la tendresse qu'elle lui manifeste, une certaine détente de tout son corps et de sa manière d'être. Lorsque la femme simule l'orgasme pour faire éprouver cette fierté à l'homme, elle manquera généralement de lui témoigner ensuite la même chaleur affectueuse. Le plus souvent, la femme se sentira tout à fait détendue émotionnellement, lorsque ses besoins auront été comblés par l'admiration et l'amour que l'homme lui porta, par la satisfaction qu'elle lui apporta et par le plaisir qu'elle aura ressenti personnellement.

L'orgasme n'est donc pas toujours un but qu'il faut impérativement atteindre et, même si elle n'y parvient pas, la femme éprouve néanmoins pour son partenaire des sentiments tendres et passionnés.

Après l'acte

La tendresse doit continuer à régner, et le couple demeure étroitement embrassé, le pénis de l'homme dans le vagin de la femme. Ils doivent se témoigner mutuellement leur tendresse et se montrer qu'ils s'aiment l'un l'autre totalement, et non seulement sensuellement. Parfois les hommes ne se rendent pas compte de l'importance que tout cela a pour leur femme. C'est le moment où la femme se sent forte, en sécurité et en pleine sérénité parce que son mari l'aime.

Différentes postures favorisent l'accomplissement de l'acte sexuel. Certaines mieux que d'autres conviennent à certains couples. La posture la plus courant: l'homme est sur la femme, entre ses jambes ouvertes.

Lors des explications que le médecin a données au jeune couple, sans entrer dans le détail des différentes postures, il lui aura simplement dit que l'un et l'autre verront d'eux-mêmes la posture qui leur convient le mieux. Il faut tout à fait laisser de côté le concept de ce qui est « normal ». Plus tard, quand le couple aura fait des essais et des expériences, on pourra sans craindre de choquer les partenaires discuter des différentes positions, de leurs avantages ou de leurs inconvénients, suivant les circonstances. Le but de l'entretien prénuptial est d'éviter les expériences malheureuses (qui peuvent aller jusqu'au traumatisme) lors des premières relations sexuelles.

Les couples demandent souvent quelle est la fréquence normale des rapports. On peut leur répondre qu'elle est de deux à trois fois par semaine dans les premières années du mariage, mais les besoins individuels diffèrent beaucoup et chaque couple est donc seul juge de cette fréquence. Les époux devraient tenir compte de la mise en garde que constituent les statistiques, concernant les rapports intimes. L'individu, qui se croit différent des autres, sort de son isolement s'il s'intéresse aux statistiques; elles indiquent que la trop grande fréquence des rapports nuit à la qualité de ceux-ci, ce qui encouragera certains, qui sauront ainsi que des relations sexuelles réussies n'ont rien à voir avec des relations fréquentes, car ce n'est pas à la fréquence que se mesure le plaisir qu'on prend et qu'on donne.

Incompatibilité sexuelle

On s'imagine parfois que l'incompatibilité sexuelle provient d'une disproportion entre la grandeur du pénis et celle du vagin; c'est rarement vérifié, les organes s'adaptant d'eux-mêmes à ces différences de dimensions. Généralement l'incompatibilité est de nature psychologique et dépasse le domaine sexuel. La confusion qui se fait provient de la difficulté qu'il y a à définir d'une manière générale l'incompatibilité. Les relations sexuelles provoquent des émotions du domaine des sens. Elles sont en étroite relation avec l'amour. De nature physique et psychique elles servent rapidement de miroir où se reflètent des problèmes et des tensions qui surgissent dans d'autres domaines de la vie commune. Par voie de conséquence les relations sexuelles servent d'indicatif au bonheur du couple. Souvent les problèmes qui se posent dans le domaine des sens donnent l'occasion de discuter d'une façon plus générale de l'incompatibilité, et cette mise au point se révèle favorable à l'épanouissement des époux.

L'hérédité

Au cours de la consultation prénuptiale, on pose souvent la question de l'hérédité, pour savoir quels caractères des parents se transmettent aux enfants.

Sauf dans les cas très rares où pendant sa grossesse la mère contracte une maladie vénérienne (par exemple la syphilis), aucun nouveau-né ne vient au monde avec une maladie contagieuse. Il n'y a pas de transmission directe d'hérédité dans les cas d'hypertension artérielle ou de cancer.

Par contre la conformation physique des parents se retrouve chez les enfants et ceux-ci sont, de ce fait, sensibles aux mêmes maladies.

Certaines malformations physiques sont héréditaires. On sait maintenant avec suffisamment de précision quelles malformations et quels ennuis peuvent entraîner certaines caractéristiques héréditaires. Le médecin traitant, qui s'est fait exposer les maladies des futurs époux et de leurs familles, saura s'il y a quelque chose à craindre dans ce domaine.

Le médecin ne peut évidemment donner aucune certitude quant à l'exactitude de ces prévisions. Chaque être naît avec un certain potentiel de gènes dont la nature et la diversité tiennent à une longue chaîne d'ancêtres. Les gènes déterminent les possibilités de l'individu et les limites qu'il ne pourra dépasser: certains assurent une grande longévité tandis que d'autres sont responsables de la mort du fœtus dans le corps de sa mère. Mais ce potentiel de longévité peut se réaliser entièrement ou tourner court, suivant la volonté de l'individu et aussi, pour une part, selon l'entourage, les occasions et la chance d'une destinée.

Mais l'hérédité ne joue pas seulement son rôle dans la transmission des maladies ou des malformations. Au moment où le spermatozoïde pénètre dans l'ovule, l'être qui va venir au monde a déjà ses limites vers le bien et vers le mal. Les gènes des deux cellules déterminent en effet tous les caractères spécifiques des différents organes du corps, petits ou grands, visibles ou cachés.

Les enfants héritent parfois les traits de leur père ou de leur mère, ou la constitution de l'un des deux. Moins visiblement, mais tout aussi iné-luctablement, le cerveau et d'autres organes du corps ressemblent à ceux d'un des ascendants ou d'un ancêtre de l'enfant. Suivant l'aspect physique du jeune couple, le médecin peut en tirer certaines déductions quant à la morphologie des enfants qu'ils auront, mais ces prévisions sont évidemment du domaine des probabilités. Le médecin ne doit pas cacher aux jeunes époux que leurs qualités et leurs défauts passeront à la génération suivante. S'il subsistait quelque arrière-pensée quant à l'intelligence, au physique, à la constitution que risque de transmettre l'un des conjoints, il ne faut pas perdre de vue que l'enfant bénéficiera aussi de l'hérédité de l'autre.

Le planing familial

Ce problème ne sera abordé ici que sous l'angle du contrôle des naissances. Nous nous bornerons à mentionner les méthodes mécaniques ou physiologiques qui permettent d'éviter une grossesse, ou au contraire qui les mènent à terme. Quand on le lui demande, lors de la visite prénuptiale, le médecin consultant oriente les jeunes couples sur ce sujet.

LA CONTRACEPTION

Son but est d'éviter la fécondation pendant ou après l'acte sexuel. La contraception est bien différente de l'avortement. Les procédés abortifs s'emploient à détruire l'embryon issu de l'union du spermatozoïde et de l'ovule, tandis que la contraception veut éviter cette union. Généralement la contraception n'a aucune nocivité, ne peut provoquer aucune maladie, et peut s'arrêter dès que l'on désire un enfant.

La contraception n'est pas seulement indiquée dans les cas où l'un des conjoints est mal portant, ou parce que le couple ne désire pas d'enfant. Les sphères officielles voient avec inquiétude l'accroissement toujours plus rapide de la population mondiale. Les progrès de la médecine et de l'hygiène ont fait fortement baisser le taux de la mortalité, tandis que la courbe des naissances ne diminue pas, loin de là.

Si des mesures intelligentes ne sont pas bientôt prises, le trop grand nombre de naissances conduira le monde à une surpopulation telle que, d'ici à la fin du siècle, d'innombrables problèmes se poseront, dont par exemple celui de la production alimentaire suffisante pour cette population. Les sombres prévisions de l'économiste anglais Malthus se vérifieraient donc.

Aussi convaincus que nous soyons de la nécessité d'un contrôle des naissances, ce problème dépasse largement le cadre de ce livre. Le lecteur qui désire se documenter peut lire de très nombreuses publications à ce sujet, avec des statistiques qui donnent à réfléchir et des exemples pratiques. Ici nous ne nous occuperons de ce problème que par rapport à la famille, tel qu'il se pose individuellement.

Au début de la vie conjugale on recommande aux jeunes époux l'emploi de moyens anticonceptionnels. Ils doivent s'adapter l'un à l'autre au point de vue caractériel comme au point de vue sexuel et lorsque la jeune femme se trouve enceinte trop tôt, toute la liberté de mouvement et d'entreprise du couple est limitée par la prochaine naissance de l'enfant. Pour un couple d'étudiants, cette naissance pourrait signifier l'abandon des études et il ne faut pas oublier non plus que l'installation d'un ménage coûte toujours fort cher, ce qui oblige souvent la jeune femme à collaborer aux dépenses, avant de songer à une famille plus nombreuse. Ces mesures contraceptives peuvent être indiquées également pour des raisons médicales, par exemple quand l'état de santé de la femme laisse à désirer, ou lorsque l'hérédité des conjoints pourrait dangereusement handicaper l'enfant à naître, ce qui est évidemment beaucoup plus rare.

Si les naissances sont trop rapprochées, la force de résistance de la jeune mère peut être entamée et sa santé compromise. Entre les grossesses, il devrait toujours s'écouler au moins 20 à 24 mois, pour que la jeune mère puisse se remettre des mois pénibles qui précèdent et suivent un accouchement. Cet espace profite d'ailleurs au nouveau-né, qui, pendant les deux premières années de sa vie, accapare totalement l'attention et les soins de sa mère.

Les femmes ont de tout temps essayé de prolonger ce délai en nourrissant leur enfant le plus longtemps possible. En effet, pendant l'allaitement, l'organisme de la femme produit des hormones qui empêchent la fécondation, et la nature a ainsi voulu la protéger contre d'excessives fatigues. Des grossesses trop rapprochées compromettraient également la santé du nouveau bébé. C'est l'état de faiblesse de la mère qui provoque certaines fausses-couches et bien des cas de mortalité infantile n'ont d'autre cause. Un trop grand nombre d'enfants, ou des enfants d'âges trop rapprochés peuvent être une véritable charge, qui entrave la vie de famille et empêche son épanouissement. Les parents ont pour tâche d'assurer à chacun de leurs enfants l'éducation qui correspond à leurs capacités, et ceci limite déjà le nombre des enfants. Dans certains cas, les problèmes financiers soulevés par toutes ces naissances et les soucis qu'ils causent à la famille peuvent être si aigüs qu'une nouvelle naissance compromettrait l'équilibre mental et physique de toute la famille.

Pour ces raisons, le contrôle des naissances a toujours été pratiqué dans l'histoire de l'humanité. Voici 4.000 ans, on recourait, en fait de contrôle, à l'avortement ou à l'infanticide. Les méthodes anticonceptionnelles ne sont pas nouvelles, puisqu'il y a 400 ans on utilisait déjà une sorte de préservatif dont nous possédons la description. En fait, la contraception date certainement de l'époque où on fit le rapprochement entre l'acte sexuel et la grossesse; ce rapprochement d'idées n'est pas aussi évident que nous le pensons aujourd'hui, puisque 9 mois s'écoulent entre la cause et l'effet, entre la fécondation et la naissance. Pour éviter la grossesse on a essayé un très grand nombre de méthodes et de moyens: retrait du membre viril avant l'éjaculation (coït interrompu), introduction dans le vagin de tampons d'ouate ou de coton imbibés d'essences de plantes ou de racines, abstention au moment de l'ovulation (méthode des jours stériles ou des cycles), moyens mécaniques tels que préservatifs, pessaires, contraceptifs chimiques (pastilles ou pâtes à introduire dans le vagin) et, plus récemment, les pilules « anti-bébé » qui suppriment l'ovulation.

Les premiers essais de contrôle des naissances furent rudimentaires et peu efficaces mais, même aujourd'hui, la plupart des méthodes laissent à désirer. Heureusement, à l'heure actuelle, on s'intéresse de très près à la contraception et, en physiologie, à la reproduction humaine; le contrôle des naissances bénéficie d'un large appui financier et tout cela nous permettra sans doute de découvrir le contraceptif idéal, sûr, qui ne nuit pas à la santé, sans manifestations secondaires, peu coûteux, d'un emploi facile, d'effet réversible permettant au couple d'avoir des enfants lorsqu'il ne l'emploie plus, et ne freinant ni le désir ni le plaisir,

Voici quelles sont actuellemment les techniques les plus couramment employées:

Pessaire

C'est le moyen technique que prescrivent le plus souvent les médecins est les centres de planing familial, et le tiers des couples en âge de procréer l'emploie pour prévenir une conception. C'est aussi une des méthodes les plus sûres.

Les pessaires sont des petits dés de caoutchouc mou, bordés circulairement de métal flexible; ils couvrent le col de la matrice dont ils obturent l'entrée, mettant une barrière infranchissable entre l'ovule et le sperme. Quand on les emploie conformément aux indications avec une crème contraceptive, la sécurité est plus grande encore. La crème se répand sur les replis de la paroi vaginale, empêchant que le sperme ne s'accumule autour du col de la matrice, coiffé du pessaire.

Le pessaire doit être placé entre la paroi arrière du vagin et l'os pubien, à une distance qui varie d'une femme à l'autre. Cet article de différentes tailles convient à la plupart des femmes. Si la grandeur du pessaire n'est pas bonne, il devient inutile, car s'il glisse pendant les rapports les spermatozoïdes pénètreront dans le vagin.

C'est pourquoi les pessaires devraient toujours être placés par un médecin et vendus seulement sous ordonnance médicale.

Quand on leur enseigne l'utilisation d'un pessaire, les jeunes femmes n'aiment généralement pas l'idée qu'un médecin leur apprendra à bien placer ce dispositif; elles craignent d'enfoncer leurs doigts dans le vagin pour s'assurer de la bonne position du pessaire sur le col de la matrice. Elles n'aiment pas non plus l'usage de la crème ou de la gelée contraceptive. La plupart d'entre elles surmontent ce dégoût et apprennent facilement à bien placer le pessaire; d'autres préfèrent utiliser à cet effet un dispositif mécanique spécialement conçu.

De toute façon, le pessaire est placé au fond du vagin et le bord antérieur est repoussé derrière l'os pubien. Quand le pessaire est bien

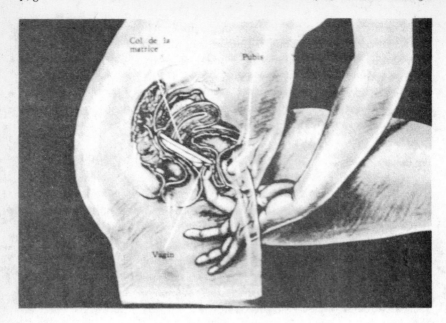

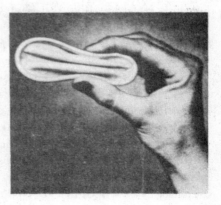

Figure 24: Pessaire

placé, ni l'homme ni la femme ne doivent s'apercevoir de sa présence pendant les rapports sexuels. La femme ne doit pas le sentir en temps normal et il ne doit pas la gêner physiquement quant aux fonctions de la vessie et des intestins.

Après avoir placé le pessaire, le médecin donnera à la jeune femme toutes les indications pour son utilisation:

1. La paroi intérieure du pessaire qui recouvre le col de la matrice et ses bords sera enduite de crème ou de gelée (1 cuiller à thé). Le pessaire ne doit pas être introduit à la dernière minute, mais avant de se mettre au lit ou, en tout cas, avant la rencontre avec le partenaire. Le pessaire peut être placé 4 heures avant les rapports sexuels mais, dans ce cas, il faudra vérifier qu'il ne s'est pas déplacé. Il est possible que les rapports intimes n'aient pas lieu, mais il est toujours préférable d'avoir pris des précautions.

Certaines femmes trouvent que l'acte sexuel perd ainsi de sa spontanéité et craignent que ces précautions ne tuent le désir de leur mari. Ces difficultés n'ont rien d'insurmontable. Avec le temps, les époux s'aperçoivent à des petits riens que leur partenaire désire un rapprochement. Mais si ce désir surgissait soudain sans que le pessaire soit en place, il faudrait introduire celui-ci avant les caresses préliminaires.

2. Après les relations, le pessaire doit rester en place au moins 8 heures, ce qui revient à dire qu'on l'enlève généralement le lendemain matin. A ce moment-là les spermatozoïdes qui se trouvent encore dans le vagin ont perdu leur pouvoir fécondant. S'il y avait d'autres rapports le lendemain matin, il faudrait auparavant enlever le pessaire, le laver, remettre de la crème ou de la gelée et le remettre en place.

Pour être sûr que ces instructions sont bien comprises, le médecin fait mettre et enlever le pessaire autant de fois qu'il est nécessaire, pour que sa cliente sache opérer correctement. Il insiste encore sur le fait qu'un pessaire, pour être efficace, doit être bien adapté et parfaitement mis en place.

Un pessaire régulièrement lavé, talqué et conservé dans une boîte après usage dure environ 2 ans. Toutefois, après une naissance, le vagin risque d'être dilaté et avant la reprise des relations sexuelles le médecin devra vérifier si le pessaire s'adapte toujours parfaitement. Pour les femmes qui n'ont pas eu de relations avant leur mariage, une vérification doit être faite après la lune de miel.

Il est très difficile — voire impossible — de placer un pessaire chez une vierge, et on conseille d'utiliser pour commencer d'autres contraceptifs; le pessaire sera placé après la lune de miel.

Préservatifs

Les préservatifs sont les contraceptifs les plus connus. Aux Etats-Unis, on en fabrique annuellement environ 750.000.000. Les couples mariés s'en servent, mais c'est le plus populaire des contraceptifs employé lors des relations hors mariage. Effectivement les préservatifs sont d'un emploi simple, sûr et sans danger, on peut s'en procurer dans toutes les pharmacies sans ordonnance médicale.

Les préservatifs permettent aussi d'éviter toute transmission des maladies vénériennes, et leur utilité est aussi bien prophylactique que contraceptive. Dans les pays où la vente des contraceptifs est interdite, les préservatifs sont vendus au rayon des articles prophylactiques.

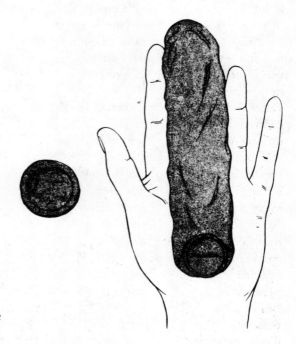

Figure 25: Préservatif

Les préservatifs sont des membranes tubulaires de caoutchouc mince dont on recouvre la verge. Un anneau de caoutchouc est fixé autour de l'ouverture pour prévenir, pendant l'acte sexuel, un glissement intempestif de la membrane.

Employés correctement, les préservatifs sont actuellement le plus sûr des contraceptifs. Un accident ne peut survenir que si le préservatif est mal employé ou si la membrane se fendille. Mais actuellement on apporte un tel soin à cette fabrication qu'un défaut de qualité est pratiquement exclu.

Le préservatif doit être déroulé sur le pénis en érection avant d'introduire celui-ci dans le vagin. On évite ainsi que les spermatozoïdes puissent pénétrer dans le vagin avant l'éjaculation proprement dite. Certains modèles de préservatifs ont une petite poche au bout fermé. Elle évite la déchirure du préservatif due à la pression de l'éjaculation et évite la tension durant les mouvements rythmiques des relations sexuelles. Quand un préservatif n'a pas été prévu avec cette poche, il suffit de laisser un peu d'espace libre à son extrémité et de ne pas le tendre trop étroitement sur le pénis.

La dimension du préservatif s'adapte au pénis en érection, aussi l'homme doit-il se retirer après l'éjaculation, avant que la détumescence ne survienne, en retenant le préservatif par l'anneau, évitant ainsi qu'il ne glisse.

Dans les relations entre époux, les préservatifs ne constituent pas le contraceptif idéal. Comme ils ne permettent pas le contact du pénis et du vagin, le plaisir s'en trouve diminué. Il arrive qu'ils provoquent des éruptions du pénis ou du vagin, surtout quand les glandes de Bartholin ne sécrètent pas suffisamment de lubrifiant. Pour pallier cet inconvénient, il existe des préservatifs à la surface glissante spécialement traitée. Sinon on peut utiliser de la vaseline, par exemple.

Par un processus psychique, le préservatif peut empêcher d'éprouver du plaisir à l'acte sexuel. Pour que l'orgasme arrive à un complet épanouissiment, il faudrait que le pénis restât dans le vagin après l'éjaculation, alors que les époux demeurent enlacés. L'utilisation d'un préservatif nuit à ce moment de volupté.

Beaucoup d'hommes (et naturellement presque tous les gynécologues) pensent que c'est à la femme, puisque c'est elle qui supporte le risque d'une grossesse, le choisir la méthode contraceptive que le couple utilisera. Souvent les femmes préfèrent l'emploi des préservatifs à toute autre méthode, au pessaire notamment, dont la mise en place leur fait encourir une responsabilité. Certains hommes éprouvent un sentiment de frustration en utilisant des préservatifs, et la préférence de leur femme pour cette méthode les contrarie. Ce désaccord peut avoir des répercussions sur d'autres domaines de la vie commune. Mais il ne faut pas oublier que si l'homme ne se soucie guère des suites de son acte — par manque de prudence ou parce qu'il est alcoolique — il s'ensuit une grossesse indésirable.

Généralement on remarque que la plupart des hommes se rallient à la méthode contraceptive qui convient le mieux à leur femme. Ils n'ont d'ailleurs à leur disposition, à part les préservatifs, que le coït interrompu, ou retrait du pénis avant l'éjaculation.

Le coït interrompu

Le coït interrompu est certainement la plus ancienne méthode contraceptive connue. Ce retrait du pénis avant l'éjaculation empêche la fécondation, puisque les spermatozoïdes ne sont pas libérés dans le vagin.

Ce système est éminemment économique et peut se pratiquer en toutes circonstances. Ceux qui semblent s'en contenter sont nombreux, malgré les inconvénients qu'il présente. Le coït interrompu n'est cependant pas aussi recommandable qu'on le croit et il n'est pas sans risques. L'homme jeune et inexpérimenté se retire trop tard, et le liquide lubrifiant qu'il sécrète transporte déjà des spermatozoïdes. Chez l'homme d'expérience, conscient de ses responsabilités, le plaisir est moins grand car il ne doit pas dépasser d'une fraction de seconde le moment où il doit se retirer. Même si le plaisir de la femme n'est pas altéré par ce souci, le brusque retrait de l'homme lui laisse une impression de vide et de frustration. A la longue, les deux partenaires doivent absolument parvenir au même épanouissement sexuel, sinon cette constante insatisfaction les conduit à une impasse. Comme l'emploi du préservatif, cette technique empêche l'étreinte intime après l'orgasme.

Les femmes préfèrent généralement une technique efficace et qui permet pourtant un plein épanouissement de la volupté. En effet, à part le pessaire, quantité de produits chimiques ont été mis au point, dont l'action tue les spermatozoïdes.

Contraceptifs chimiques

Ils se présentent sous forme de pastilles, pâtes et gelées à introduire dans le vagin et contiennent des substances qui tuent les spermatozoïdes (spermicides).

Peu avant les relations sexuelles, la quantité prescrite de substance spermicide est introduite dans le vagin au moyen d'une canule, pour boucher le col de la matrice d'une part et agir chimiquement sur les spermatozoïdes, d'autre part.

Il existe également des pastilles et des gelées qui produisent de la mousse et contiennent des substances spermicides. On met les pastilles le plus profondément possible dans le vagin une heure au plus avant les rapports, ou en tout cas quelques minutes avant, car c'est pendant ce laps de temps que l'effet de la mousse est le plus efficace. La pastille se dissout en libérant une petite quantité de gaz (sans nocivité) et produit une mousse très dense autour du col de l'utérus, empêchant les spermatozoïdes d'y pénétrer. Normalement l'humidité vaginale suffit à déclencher la réaction, mais il est pourtant recommandé, pour amorcer cet effet et pour que la réaction se développe entièrement, de mouiller au préalable la pastille avec de l'eau ou de la salive.

Les crèmes moussantes font penser à de la crème à raser et on les introduit vers le col de l'utérus au moyen d'un dispositif spécial. Elles passent pour plus efficaces que les crèmes normales non effervescentes. Les spermicides chimiques sont sans danger mais peuvent provoquer, chez certaines femmes, une légère irritation de la muqueuse vaginale et du col de la matrice.

Ces moyens chimiques, spécialement ceux qui agissent par leur mousse, peuvent avoir un aspect un peu désagréable car, quand on les emploie, le vagin ne doit être ni lavé ni rincé pendant les 4 à 6 heures qui suivent les rapports. Sinon les propriétés chimiques et physiques de protection de ces produits disparaissent, alors qu'il reste encore des spermatazoïdes bien vivants autour du col de la matrice.

Ces crèmes, gelées et pastilles qui entrent dans la catégorie des contraceptifs chimiques ne sont évidemment pas aussi sûres que l'emploi d'un pessaire. Beaucoup de couples les utilisent sans la moindre anicroche et ils sont notamment conseillés dans les cas où l'usage du pessaire est peu souhaitable ou impossible.

A noter, en faveur de ces spermicides, leur facilité d'emploi et le fait qu'on peut se les procurer dans les pharmacies sans ordonnance médicale.

Nous recommandons encore ici de choisir une méthode sûre et de s'y tenir. Ainsi les garanties sont-elles plus grandes qu'en utilisant sporadiquement une méthode, puis une autre.

Les injections vaginales

Il existe une autre technique de contraception qui consiste à rincer le vagin, immédiatement après l'acte sexuel, à l'eau ou avec un autre liquide, afin d'empêcher les spermatozoïdes d'y séjourner. L'adjonction de vinaigre, de sel ou d'autres produits du même genre n'augmente pas l'efficacité de cette méthode, dont l'effet est physique, et non pas chimique. Les spermatozoïdes ne résistent en effet pas à l'eau et les injections vaginales sont efficaces si elles sont faites *immédiatement*, car 90 secondes après l'éjaculation les premiers spermatozoïdes pénètrent déjà dans le col de la matrice et se trouvent hors d'atteinte.

La femme endosse une grosse responsabilité: si elle attend plus de 90 secondes, l'injection vaginale ne tuera qu'un certain nombre de spermatozoïdes, mais sans aucune garantie que d'autres n'aient déjà commencé leur travail de fécondation.

La femme a donc très peu de chances d'éviter une grossesse par ce moyen, et il faut bien reconnaître que les injections vaginales (ou douches vaginales) représentent la méthode la moins efficace en contraception. Un très petit nombre de femmes l'utilise avec succès pendant une longue période, et rien ne prouve d'ailleurs qu'elles auraient été enceintes si elles avaient négligé de faire ces injections.

Le délai extrêmement court de 90 secondes oblige la femme à renoncer à la bienfaisante détente qui suit l'acte sexuel. Généralement les femmes se contraignent à regret à cette pratique qui, au moment de la volupté, les arrache des bras de l'homme qu'elles aiment. Evidemment c'est une technique simple et bon marché, et c'est peut-être pourquoi elle est si utilisée aux Etats-Unis, par exemple. Le bidet, qu'on trouve communément dans toutes les salles de bains, est spécialement conçu pour ces douches et le lavage des parties génitales, car l'arrivée de l'eau de bas en haut facilite ces injections.

Toutes les méthodes anticonceptionnelles que nous venons de citer utilisent des moyens physiques et chimiques qui empêchent la fécondation. Mais il existe encore deux autres méthodes, dont l'une repose sur la détermination des jours stériles (méthode Knaus et Ogino) tandis que l'autre assure la suppression de l'ovulation (pilules anti-bébés).

La méthode Knaus et Ogino

Cette méthode se fonde sur le fait biologique que la femme ne peut être fécondée que durant un court laps de temps avant et après la rupture du follicule.

Aujourd'hui on considère comme acquis que l'organisme féminin ne libère qu'un seul ovule par cycle menstruel. Il est libéré environ 14 jours avant les règles suivantes et ne peut être fécondé qu'un petit nombre d'heures après l'éclatement du follicule, soit moins de 24 heures environ. On sait par ailleurs que les spermatozoïdes conservent leur pouvoir fécondant 48 à 72 heures après avoir pénétré dans les trompes. Une grossesse ne peut donc se produire que si les rapports sexuels ont lieu peu avant ou peu après l'ovulation. Il suffit d'observer la continence pendant ce court laps de temps pour éviter une grossesse, qui est pratiquement exclue le reste du mois.

La détermination des jours stériles se fait à l'avance. Certaines femmes savent quand leur ovulation va se produire ou si elle a déjà commencé. Elle s'annonce par une légère douleur à gauche ou à droite du bassin, suivant l'ovaire qui libère l'ovule parvenu à maturité. Il arrive souvent, quand ces douleurs se produisent à droite, qu'on les confonde avec les symptômes de l'appendicite.

Chez certaines femmes, la matrice sécrète pendant l'ovulation une plus grande quantité de mucus. A ce moment la section intérieure du col de la matrice grandit, ce qui contribue à faciliter le passage des spermatozoïdes en direction des trompes. Actuellement on ne peut déterminer de façon tout à fait précise le moment où se produit l'ovulation. Le calcul des jours stériles se fait sur l'indication des cycles menstruels soigneusement notés par la femme, avec leur durée et leur développement. Il est possible de détecter avec suffisamment de précision l'apparition du follicule en prenant chaque matin sa température car on remarque soudain qu'elle augmente d'une demi ou d'un degré pour se stabiliser pendant tout le reste du cycle.

En observant minutieusement, pendant plusieurs mois, le déroulement des règles et les courbes de température, on s'apercevra que le développement du cycle est toujours semblable, et on pourra déterminer les jours féconds avec une exactitude suffisante.

Chez une femme réglée normalement, qui a un cycle de 28 jours, l'ovulation a lieu le 14e jour après le début du cycle. A condition d'observer

une marge de sécurité de 4 jours avant et après l'ovulation, **pour tenir**
compte de la durée de survie de l'ovule et du spermatozoïde, la **période**
féconde « dangereuse » se situe entre le 10e et le 18e jour **après le**
début du cycle. Après ce laps de temps, on ne retrouve plus trace de
l'ovule, qui a terminé sa courte existence dans l'utérus, et la grossesse devient exclue. On peut donc considérer la période qui précède
le 10e jour comme « sûre » — sans certitude absolue cependant, car
on ne connaît pas la durée exacte d'existence des spermatozoïdes dans
les organes reproducteurs de la femme. Il peut aussi arriver que l'ovulation manque de régularité, une fois ou l'autre, et se trouve avancée.
Ceci dit, les 10 derniers jours du cycle sont considérés comme absolument sans danger.

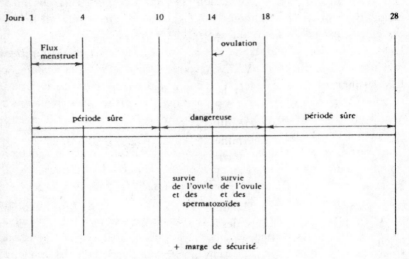

Figure 26: Cycle menstruel de 28 jours

Pour mieux illustrer notre propos, prenons encore l'exemple d'une
femme dont le cycle menstruel est de 35 jours. La menstruation commencera aussi chez elle 14 jours environ après que l'ovule ait été libéré
par l'ovaire. C'est ce qui se passe généralement pour tous les cycles,
quelle qu'en soit la durée. Dans un cycle de 35 jours, l'ovulation se
ferait donc vers le 21e jour; en ajoutant 4 jours avant et 4 jours après
le 21 (en tenant compte de la possibilité de survie de l'ovule et du
spermatozoïde), on pourra facilement calculer les jours stériles et la
période de continence. La période qui s'étend du 1er au 17e jour sera

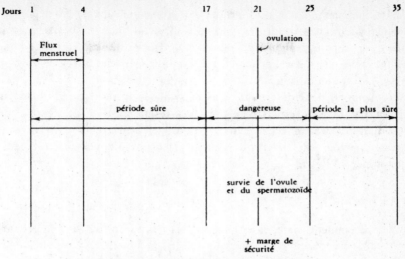

Jours 1   4   17   21   25   35

Flux menstruel

ovulation

période sûre   dangereuse   période la plus sûre

survie de l'ovule et du spermatozoïde

+ marge de sécurité

Figure 27: Cycle menstruel de 35 jours

considérée comme « sûre », et la période la plus sûre est celle qui va du 25e jour au 35e jour.

Si la femme a des règles irrégulières, les jours « sûrs » varieront et il sera impossible de les déterminer exactement. Des circonstances spéciales telles que: maladies, accouchements, changements physiques et émotionnels, changement de climat, etc., peuvent rendre cette méthode inapplicable.

Au cours de la 2e Guerre Mondiale, on tint à jour des registres où on notait les cycles menstruels des femmes détenues dans les camps de concentration; on remarqua que de grosses fluctuations se produisaient quand ces femmes recevaient de mauvaises nouvelles. On a remarqué aussi que dans de très nombreux cas où des femmes ont été violentées, même si ce viol n'a pas eu lieu pendant les jours féconds, il y a eu grossesse.

Il arrive aussi souvent que des fiancées qui ont soigneusement fixé le jour de leur mariage en tenant compte de leur cycle menstruel aient leurs plans dérangés par l'apparition de leurs règles. Il arrive d'ailleurs qu'une femme mûre sexuellement ovule plus d'une fois pendant un cycle donné.

Cette détermination des jours stériles n'est donc pas une méthode absolument sûre et qu'on peut recommander à toutes les femmes. Si on désire l'adopter, il est plus prudent de consulter un gynécologue, qui calculera avec exactitude les périodes sûres. Il faut relever aussi que même si on peut prévoir un calendrier des jours stériles, cette méthode oblige à la continence pendant une certaine période du cycle, ce qui n'est pas toujours admis.

Actuellement, pour déterminer avec plus d'exactitude le début de l'ovulation, on travaille à mettre au point des tests simples et faciles. Aucun test parfait n'existe encore, mais on fait des recherches dans ce sens car ce contrôle est le seul qu'autorisent certains mouvements religieux, notamment l'Eglise catholique romaine.

« *La pilule* »

Assez récemment, dans ce domaine de la contraception, des chercheurs ont fait une découverte intéressante qu'on appelle couramment « la pilule ».

La pilule, prise par voie buccale, combine beaucoup de gestagène à un peu d'oestrogène; ces hormones suppriment l'apparition de l'hormone FSH du lobe antérieur de la glande pituitaire qui stimule le follicule, ce qui empêche l'ovule de mûrir dans l'ovaire.

La femme doit prendre une pastille chaque jour pendant 20 jours, à partir du 5e jour après le début du flux menstruel. Elle arrête ce traitement et de un à trois jours plus tard la menstruation commence. Le flux sera peut-être moins abondant et durera moins longtemps que lorsqu'elle n'utilisait pas « la pilule ».

Dès le 5e jour après le début des règles, on recommence la même médication. La cure doit être observée avec *beaucoup d'exactitude*, car si on la néglige un jour, l'ovulation peut se produire et la femme sera enceinte. Si la femme oublie un seul jour de prendre sa pastille, elle devra, pendant le reste de ce cycle, utiliser un autre moyen contraceptif.

Quand la femme désire un enfant, elle cesse de prendre la pilule. L'ovulation recommence généralement dès le cycle suivant et la fécondité de la femme réapparaît normalement. La pilule ne semble pas avoir d'incidence sur le désir sexuel, quoique certaines femmes prétendent avoir alors des besoins sexuels plus forts.

La pilule est un méthode contraceptive absolument neuve, et les chercheurs ont procédé avant qu'elle ne soit mise en vente à d'innombra-

bles tests sur son efficacité, sur les effets secondaires quelle pourrait
avoir et sur ses dangers possibles. Les résultats prouvent que la pilule
est un contraceptif absolument sûr et efficace. Les quelques effets secondaires dont certaines femmes se plaignent disparaissent générale
ment quand la cure se prolonge sur plusieurs cycles.

Cependant, comme la pilule est un contraceptif nouveau dont le contrôle se poursuit, on ne peut se la procurer que sur prescription médicale et sous contrôle. Les chercheurs recommandent de ne pas poursuivre la cure pendant plus de 3 à 4 ans. On ne la recommande pas non
plus tout de suite après la naissance d'un enfant, quand la mère désire
le nourrir, car la pilule pourrait faire tarir le lait.

Ces pilules se vendente actuellement sous différentes marques, mais elles
sont onéreuses pour toute une classe de la société, surtout dans les
pays surpeuplés où ce contraceptif rendrait pourtant les plus grands
services. Il est évident que les prix baisseront avec un emploi généra-
lisé, et il est probable que l'amélioration du produit sera poussée, au
point de rendre tout contrôle médical superflu, ce qui diminuera d'autant le prix de la cure.

Dans quelles circonstances un contrôle des naissances est-il légitime?

Bien des facteurs interviennent quand il s'agit, pour le couple, de prévenir une grossesse. On utilise des méthodes contraceptives quand la
naissance d'un enfant pourrait mettre en danger la santé de la mère,
ou quand des circonstances spéciales pourraient nuire à l'enfant, ou encore quand la naissance d'un nouvel enfant compromettrait l'équilibre
financier de la famille. Mais, toute situation n'est pas aussi précise et
le couple a souvent besoin d'être éclairé.

Les risques d'une naissance ou la nécessité de la remettre à plus tard
relèvent des examens du médecin traitant. Les adeptes religieux con-
sultent leurs directeurs de conscience pour connaître, dans ce domaine,
la position de leur Eglise. L'aspect financier du problème pourra être
débattu valablement avec des conseillers sociaux.

Les motivateurs financiers de la contraception varient beaucoup, suivant les cas. Il est difficile de trouver un dénominateur commun et
de décider d'avoir un enfant quand les conditions financières transi-
toires le permettent, mais sans économies ni prévisions à long terme.

Certains couples tergiversent si longuement avant de se décider qu'ils remettent à plus tard les enfants qu'ils aimeraient ensuite bien avoir... La fécondité diminuant avec l'âge, le danger de la contraception est sa pratique prolongée. On diffère la conception jusqu'à un âge où la fécondité est moins grande. L'allié traditionnel de celle-ci est la jeunesse. Pour l'homme comme pour la femme, c'est vers la vingtième année que la fécondité est la plus grande.

Autre danger de la contraception: quand les époux ont longtemps différé la venue d'un enfant, ils ne l'accueillent plus avec la même joie, ayant une moindre résistance physique. Il arrive aussi que mari et femme vivent égoïstement dans leur petit univers clos et accueillent un peu comme un intrus l'enfant qui vient tard à leur foyer.

Mais il est bien évident que c'est aux époux d'organiser leur vie conjugale, après avoir pesé le pour et le contre. Personne ne peut prendre de décisions à leur place.

RÉSUMÉ

Le contraceptif idéal n'existe pas encore; tous ont des avantages et des inconvénients. Toutes les techniques contraceptives — à part la pilule — nuisent à la spontanéité des rapports intimes; elles exigent un contrôle de soi sans défaillances. Le couple qui veut éviter la responsabilité d'une naissance doit consentir certains sacrifices et se discipliner. Aucun contraceptif n'est absolument sûr.

Partout et toujours, on insiste sur le degré de « sécurité » de ces méthodes. Par exemple, la continence serait une technique contraceptive parfaite! Mais la plupart des couples n'en peuvent accepter l'idée. Pour éviter la tentation d'avoir des rapports sexuels, l'homme et la femme devraient se fuir jour et nuit. Ces précautions constantes auraient une répercussion sur leur amour. C'est pourquoi la continence qui n'est pas désirable est, en fait, impossible.

Toutes choses bien considérées, le contraceptif le mieux adapté aux besoins des époux, c'est celui qu'ils utilisent le plus volontiers de manière régulière et, partant, qu'ils connaissent le mieux. Les accidents sont presque toujours dus à une faute d'emploi, à un manque de précautions ou à une certaine inconséquence. Ceci dit, le contraceptif le plus simple est préférable au manque de précautions.

Il y a ceux qui évitent de concevoir et ceux qui voudraient des enfants. En l'absence de résultat, on parle de « manque de fertilité », s'il s'agit d'une impossibilité passagère, et de « stérilité » lorsque cette impossibilité est définitive.

LA STÉRILITÉ

Si l'on veut prendre ce mot au pied de la lettre, une femme est stérile quand son organisme ne libère pas d'ovule pendant son cycle menstruel. Chez l'homme, la stérilité équivaut à un manque de cellules mâles ou spermatozoïdes. Ces cas relèvent généralement de malformations congénitales ou de caractéristiques héritées à la naissance. Ils résultent également de l'absence totale ou de l'atrophie des testicules ou des ovaires.

Une autre cause de stérilité est l'obstruction des canaux séminifères, ou respectivement des trompes de Fallope. A l'heure actuelle, les traitements de ces maladies sont passablement limités; il y a peu de chances d'en guérir. Fort heureusement elles atteignent rarement les gens qui désirent des enfants.

L'impuissance

On confond souvent stérilité et impuissance.

La stérilité peut provenir des différentes causes que nous venons de voir. L'impuissance est psychologique et ne permet pas à l'homme de rester en érection suffisamment longtemps pour avoir des relations sexuelles réussies.

Chez la femme, l'impuissance prend la forme de vaginisme, et elle ressent lorsqu'on touche sa vulve de violentes douleurs, conditionnées par des spasmes musculaires. Ils empêchent le pénis de pénétrer dans le vagin. Dans les cas bénins, la femme ne prend aucun plaisir à la copulation: c'est la frigidité, qu'on observe le plus fréquemment.

L'impuissance n'est pas l'impossibilité de produire un ovule ou des spermatozoïdes; elle est un manque de coordination de l'appareil génital, qui ne permet pas de relations sexuelles heureuses. L'impuissance peut devenir, chez l'homme, une cause de stérilité. Par contre, chez la femme, la frigidité n'interdit pas nécessairement la conception.

Le degré d'infertilité

Il est difficile d'en juger. Pour s'en faire une idée, il faudrait établir la liste des couples qui n'utilisent pas de contraceptifs. On constaterait que 33 % des couples attendent un enfant dès le premier mois de vie commune, 25 % le second mois, avec des pourcentage décroissants pour les mois suivants: à la fin de l'année, le reste représenterait les couples inféconds. Un tiers de ceux-ci pourraient éventuellement concevoir, et 10 % du groupe initial ne serait pas apte à procréer. Ces couples attendent généralement deux ou trois ans avant de consulter un médecin; on devrait toujours leur conseiller cette visite au bout d'un an de mariage.

Causes de ce manque de fécondité

Chez les humains, la fécondité a pour conditions: des organes normaux, des fonctions glandulaires bien coordonnées et un mécanisme nerveux bien réglé. Des déficiences organiques, hormonales et nerveuses provoquent ce manque de fécondité. On peut donner pour exemple de ces déficiences une production irrégulière d'ovules ou de cellules mâles, provenant d'insuffisances nutritionnelles ou maladives, de déséquilibres glandulaires (endocriniens) ou de facteurs émotionnels qui empêchent le bon fonctionnement des organes de la reproduction. Par exemple, en cas de crise, les glandes sexuelles ralentissent leur activité tandis que les glandes surrénales l'intensifient.

Les émotions peuvent également provoquer l'impuissance, les spasmes des trompes de Fallope; un refus inconscient de la grossesse empêche celle qui en est victime d'être enceinte. Une femme peut craindre l'accouchement pour quantité de raisons inconscientes. Elle peut avoir le sentiment que la venue d'un enfant la mettrait en rivalité avec sa propre mère, ce qui pourrait avoir de dangereuses conséquences. Elle peut ne pas se trouver suffisamment mûre pour prendre la responsabilité d'un enfant, ou peut-être n'aime-t-elle pas les enfants à la suite d'expériences anciennes traumatisantes.

Pour l'homme en état de crise, le besoin sexuel et la formation des cellules mâles diminuent. En fait, on attribue à des facteurs émotionnels le quart au moins des stérilités. Quand ces problèmes émotionnels font l'objet d'un traitement et que ces tensions disparaissent, un gros

pourcentage de ces couples inféconds devient fécond. Exemples inté-
ressants de l'effet des facteurs psychologiques sur la stérilité: certains
couples se décident à consulter et à suivre un traitement et on s'aperçoit
lors de leur entrée en clinique que l'enfant est déjà conçu...

La stérilité est un problème complexe. Même lorsque le médecin traitant
a l'absolue certitude que c'est l'un des conjoints qui est responsable de
la stérilité du couple, il ne parle jamais de mari ou de femme stérile,
mais d'un couple stérile. Il est d'ailleurs rare qu'un seul facteur soit
en jeu, engageant la responsabilité du mari ou de la femme. Presque
toujours on traite l'un et l'autre.

Le degré de fécondité ne peut être évalué que sur la base des facteurs
de fécondité communs. Il arrive ainsi que la faible fécondité de l'un
des partenaires soit compensée par la fécondité de l'autre.

Le destin de la femme stérile a tojours été digne de pitié: dans les
sociétés primitives, on la détestait, on la repoussait et parfois même
on la conduisait au suicide. Le temps n'est pas très loin (c'est encore vrai
dans certaines contrées rurales) où le manque d'enfants était un gros
malheur économique, la famille étant le principal pourvoyeur de travailleurs gratuits. A travers l'histoire, c'est la femme qu'on a constamment rendue responsable de la stérilité du couple. Aujourd'hui encore
cette idée reste répandue, et quantité de femmes subissent des tests
et des examens sans qu'on ait l'idée de faire des recherches sur leur
époux. Et pourtant, dans la moitié à peu près des cas, l'homme est
seul ou en partie responsable de cette stérilité.

La femme stérile est troublée de ne pouvoir remplir convenablement
sa mission reproductrice et elle s'accuse de priver son mari d'une
famille. On ne peut pas assurer, à cet égard, que l'homme soit émotionnellement indifférent si le couple demeure sans enfant. Même
l'homme qui travaille beaucoup et rentre chez lui très fatigué, prêt
à admettre la stérilité de sa femme, peut « accuser le coup » et ressentir
une perte de virilité. Des tensions peuvent s'ensuivre entre ses beaux-
parents, qui aimeraient des petits-enfants et lui-même. Tout comme la
femme stérile, il devient souvent susceptible et morose.

Il prend pour lui toutes les remarques fortuites qu'il entend au sujet
des enfants et redoute les plaisanteries de son entourage. Il se tracasse
au suject de sa femme et se demande comment elle supporte de n'avoir
pas de bébé. Son foyer sera-t-il stable et heureux?

Escamens prénuptiaux de fécondité

Ceux qui voudraient des enfants et n'en peuvent pas avoir éprouvent une détresse telle qu'il semblerait nécessaire de procéder à certains tests de fécondité lors de l'examen prénuptial. Il faudrait en tout cas examiner la semence masculine et le bassin de la jeune femme. Les tests sanguins prénuptiaux viendraient compléter ces examens. Ces tests ne peuvent exclure toute possibilité de stérilité ni assurer, lorsqu'ils sont favorables, que le couple aura des enfants, mais ils constituent une base d'appréciation quant aux chances qu'a ce couple de procréer et ils permettront de détecter et de corriger certaines difficultés éventuelles. Quand un traitement est possible, mieux vaut l'entreprendre sans tarder. S'il n'y a rien à faire, il vaut mieux que les fiancés le sachent et, s'ils désirent par-dessus tout des enfants, il leur appartient de rompre ou de passer outre. Souvent ils décident de se marier. Ils le font alors en toute connaissance de cause, après avoir envisagé le problème de la stérilité ou du manque de fécondité.

L'homme est généralement examiné le premier, car ce test est plus facile. Après examen général de ses organes sexuels, un échantillon de sa semence est prélevé pour analyser sa composition et le sperme qu'elle contient. Il doit y avoir deux à quatre centimètres cubes de semence en suspension dans un liquide acido-alcalin de pH 7,4. Elle doit contenir 60-100.000.00 spermatozoïdes par centimètre cube dont 75 pour cent de forme ovoïde et 60 % actifs. Dans chaque éjaculation il y a des cellules anormales, mal structurées ou sans mobilité. Si ce déchet n'excède pas 25 % du total, le spécimen est dans les limites normales. Si tel n'est pas le cas, on tentera de corriger ces déficiences en améliorant l'état général ou le fonctionnement particulier d'une glande ou d'un organe. Si l'échantillon ne contient pas de spermatozoïdes, on procède alors à d'autres tests. Il arrive que l'homme ne produise pas de spermatozoïdes, ou encore il peut y avoir une barrière entre la production et la livraison.

L'examen de la femme est plus complexe. Pour être féconde, la femme doit remplir certaines conditions: production normale d'ovules, aucune obstruction au mécanisme de transmission de l'ovule aux trompes de Fallope, accès normal des spermatozoïdes à l'ovule, dans l'utérus, descente sans obstruction de l'ovule fécondé, muqueuses utérines préparées à leur rôle et bonne implantation de l'ovule fécondé dans la muqueuse. Mais généralement le médecin se contente d'interroger la jeune femme sur son cycle menstruel. Ainsi il détermine si l'ovulation semble normale et si ses organes pelviens sont en ordre. Quand ces premiers résultats ne sont pas probants, le médecin vérifie le déroulement de l'ovulation par la courbe de la température; il cherche si les trompes de Fallope ne sont pas obstruées, si quelque obstacle peut bloquer ou inhiber les cellules spermatiques. Ces tests se font généralement plus tard, si le couple n'arrive pas à concevoir.

Le médecin fait part aux époux de son diagnostic. La situation lui semble normale, ou si certains facteurs sont susceptibles de provoquer la stérilité, il dit alors comment y remédier. Ces dernières années, avec de nouvelles techniques, on s'est attelé sérieusement à l'étude des causes de la stérilité, en préconisant de nouveaux traitements, de nouveaux médicaments. Des couples qui n'auraient jamais pu concevoir bénéficient d'une aide médicale efficace et réalisent leurs aspirations familiales. Dans la moitié des cas traités, on a constaté une nette amélioration.

Une bonne connaissance du cycle menstruel aide les couples à concevoir. Ceux qui désirent des enfants ont souvent une activité sexuelle quand la conception n'est pas possible. Le temps de la fécondation possible étant bien déterminé on le fait coincider avec celui des relations sexuelles. Cela ne veut évidemment pas dire que les couples doivent réserver leurs effusions à ces périodes. Il semble que la femme conçoive plus facilement quand des relations sexuelles régulières ont eu lieu durant tout le cycle, et non seulement quand l'ovulation a commencé.

Les femmes dont le désir sexuel n'est pas très développé peuvent désirer des relations immédiatement avant et immédiatement après la menstruation. C'est alors que la conception a peu de chances de se produire. L'ayant compris, elles peuvent modifier leurs habitudes sexuelles afin d'être plus apte à concevoir.

La Nature coopère à la conception, car durant l'ovulation un changement se produit dans le mucus du canal cervical, ce qui augmente les chances qu'a le sperme d'atteindre l'ovule. Le reste du mois, le mucus qui l'emplit est plus épais et offre une moins bonne pénétration aux spermatozoïdes. Mais durant les 4 ou 5 jours précédant et suivant l'ovulation, ce mucus devient plus fluide, plus copieux et se laisse plus facilement pénétrer.

Insémination artificielle

Dans les cas de stérilité, l'importance de l'insémination artificielle prend un relief tout particulier. Elle se pratique quand l'homme est définitivement stérile et qu'il a épousé une femme saine.

Dans les cas où, lors des rapports sexuels, l'éjaculation normale du sperme n'arrive pas à provoquer la grossesse, on peut artificiellement introduire cette semence dans la matrice. Malgré les excellents résultats théoriques que devrait assurer cette méthode, le but recherché, c'est-à-dire la grossesse, n'est pas toujours atteint dans la pratique.

Pourtant ce procédé s'est révélé parfait dans suffisamment de cas pour qu'il soit largement utilisé et qu'il ait contribué au bonheur familial de bien des couples, soigneusement sélectionnés.

Selon les cas, la semence provient du mari (ce qui est préférable) ou d'un autre donneur (quand le sperme du mari n'est pas fécondant). Cette dernière solution est souvent préférable à l'adoption, car les époux « vivront » une grossesse normale, puis l'accouchement, et l'enfant héritera une partie des caractéristiques de sa mère. Pourtant il faut tenir compte ici de quantité de facteurs religieux, légaux, moraux, psychologiques et physiologiques. C'est après y avoir mûrement réfléchi que les époux doivent se décider. Pour sauver une union déjà compromise le remède serait pire que le mal, car la naissance d'un enfant qui ne serait pas du mari creuserait encore davantage le fossé entre les époux.

Le donneur doit rester absolument inconnu et anonyme; il doit présenter des qualités morales et posséder un grand pouvoir fécondant, tout en étant exempt de maladies héréditaires. Son physique et son caractère doivent se rapprocher de ceux du mari; son groupe sanguin et son facteur Rh doivent être compatibles avec ceux de la femme.

Le médicin traitant, pour éviter des discussions ultérieures quant à la légitimité de l'enfant, préfère souvent aiguiller le couple sur d'adoption d'un bébé.

Nous recommandons au couple qui décide de faire cette démarche de s'addresser à des conseillers sûrs — médecin ou ecclésiastique — qui les documenteront et les guideront utilement.

Index